Mathematics

교과서
노트

중학 수학 **3**(상)

KB085266

구성과 특징

교과서 노트는 어떤 교과서에나 공통적으로 나오는 문제들로 구성하였습니다. 각 단원마다 알아야 할 기본 개념과 출제 가능성이 매우 높은 문제들을 엄선하였기 때문에 중간·기말고사를 대비하는데 좋은 교재입니다.

우리가 수학문제를 풀 때 가장 많이 느끼는 어려움은 분명히 풀어봤던 유형인 것 같은데 풀이 과정 중에 하나 또는 두 개 정도의 풀이과정이 추가되게 되면 풀 수가 없다는 것일 것입니다. 노트 형식으로 구성한 이 "교과서 노트"는 기본 필수 예제를 풀이과정을 하나하나 쫓아가며 풀 수 있기 때문에 수학 문제 풀이에 대한 두려움이라든가, 오답노트를 따로 만들어가며 풀어야 하는 귀찮음을 해소할 수 있습니다.

1

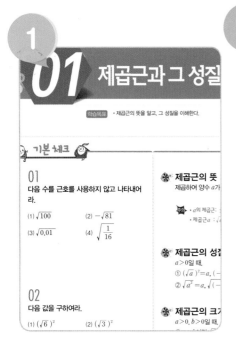

학습목표

소단원의 성격을 잘 드러내도록 구성하였습니다.
학습목표는 우리가 시험에서 만날 문제들의 성격을 대표적으로 설명하는 부분입니다. 학습목표를 잘 읽어보면 그 단원에서 가장 기본이 되고 제일 중요한 것이 무엇인지 알 수 있게 됩니다.

2

기본체크와 핵심정리

교과서 개념을 주제별로 구성하여 자세하고 깔끔한 개념만을 모아모아 문제 풀이에 적용하기 쉽게 정리하였습니다. 교과서 노트의 핵심정리는 정말 중요한 것만 콕콕 찍어서 단계적으로 정리하여 보기도 쉽고, 이해하기도 좋게 구성하였습니다.

3

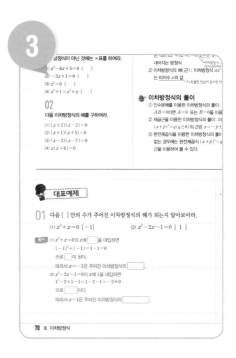

대표 예제

단순히 개념만 안다고 모든 문제를 해결할 수는 없습니다. 핵심은 바로 개념을 이용한 문제해결력을 키워야 합니다. 그래서 중학 교과서 속 핵심 예제를 개념을 익히기 위한 필수 문제로 구성하였습니다. 시험과 동떨어진 매우 기초가 되는 쉬운 문제가 아니고, 시험에 나올 법한 유형의 문제 중 기본이 되는 문제로 구성했으며 빈칸 채우기 식의 문제 풀이를 통해 풀이 과정을 한 눈에 볼 수도 있어서 "내가 어디서 실수를 했는지" 쉽게 찾을 수 있습니다. 또한, 문제 풀이에 꼭 필요한 개념들을 친절하게 첨삭 설명하였습니다.

4 어떤 교과서에나 나오는 문제

코너 이름 그대로, "어느 교과서에나 등장하는" 유형의 문제들로 구성하였습니다. 교과서 기본문제와 연습문제를 분석하여 만든 이 문제들로 기초 실력을 탄탄히 다지고 연습할 수 있으며, 시험에 꼭 나오는 유형이니만큼 시험 대비하기에 좋습니다. 노트 형식의 디자인은 문제 옆에 바로 풀이를 할 수 있어서 풀이 가운데 틀린 부분을 체크하기 쉽게 하며, 오답노트로 활용할 수도 있습니다.

02 무리수와 실수 | 어떤 교과서에나 나오는 문제

01 다음 중 무리수인 것은?
① $\sqrt{0}$ ② $\sqrt{100}$ ③ $-\sqrt{0.09}$
④ $\sqrt{11}$ ⑤ $\sqrt{\frac{4}{9}}$

02 다음 중 순환하지 않는 무소소수의 개수는?
$\sqrt{0.01},\ \pi+1,\ -\sqrt{2},\ \frac{1}{9},\ 2.4,\ 5-\sqrt{5}$
① 2개 ② 3개 ③ 4개
④ 5개 ⑤ 6개

03 다음 중 $\sqrt{7}$에 대한 설명으로 옳은 것은?
① 유리수이다.
② 순환소수이다.
③ 순환하지 않는 무한소수이다.
④ 유한소수로 나타낼 수 있다.
⑤ $\frac{b}{a}$ 의 꼴로 나타낼 수 있다. (단, $a\neq0$, a, b는 정수)

---

5 시험에 꼭 나오는 문제

12 이차함수와 $y=a(x-p)$의 그래프 | 시험에 꼭 나오는 문제

1 이차함수 $y=4x^2+1$의 그래프에 대한 설명으로 옳지 않은 것은?
① 점 $(1, 5)$을 지난다.
② y축에 대하여 대칭이다.
③ 축의 방정식은 $x=0$이다.
④ 꼭짓점의 좌표는 $(0, -1)$이다.
⑤ $y=4x^2$의 그래프를 y축의 방향으로 1만큼 평행이동한 그래프이다.

2 다음 중 이차함수 $y=2x^2-5$의 그래프를 평행이동하면 포갤 수 있는 그래프의 식은?
① $y=\frac{1}{2}x^2+1$ ② $y=2x^2-1$ ③ $y=x^3$
④ $y=-3x^2+1$ ⑤ $y=3x^2+1$

3 이차함수 $y=-3x^2$의 그래프를 y축의 방향으로 q만큼 평행이동하면 점 $(2, -6)$을 지난다. 이때 이 그래프의 꼭짓점의 좌표는?
① $(-6, 0)$ ② $(0, -6)$ ③ $(0, -4)$

시험에 꼭 나오는 문제

교과서의 중단원평가와 대단원평가를 분석하여 공통적으로 등장하는 유형의 문제를 변형하여 실어놓았습니다. 시험에 꼭 나오고, 반드시 알아두어야 할 문제들로 엄선했기 때문에 이 교재로 모의시험을 치면, 시험에 임하게 되었을 때 나의 취약한 부분을 미리 알 수 있게 됩니다. 이 코너 역시 노트 디자인으로, 문제풀이 복습 과정이 편리합니다.

---

6 단원종합문제

대단원이 하나씩 끝날 때마다 제공되는 단원종합문제는 실제 시험을 보는 것 같이 풀 수 있도록 구성하였습니다. 출제 가능성이 매우 높은 문제들로 구성하여 중간고사나 기말고사 대비용으로 활용하기 좋으며, 어느 정도 난이도가 높은 문제들과 서술형 문제도 다루어 보면서 완벽하게 실전에 대비합니다.

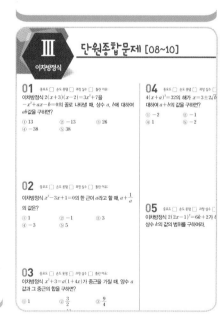

III 이차방정식 | 단원종합문제 [08~10]

01 이차방정식 $2(x+3)(x-2)=3x^2+7$을 $-x^2+ax-b=0$의 꼴로 나타낼 때, 상수 a, b에 대하여 ab값을 구하면?
① 13 ② -13 ③ 26
④ -38 ⑤ 38

02 이차방정식 $x^2-3x+1=0$의 한 근이 a라고 할 때 $a+\frac{1}{a}$ 의 값은?
① 2 ② -1 ③ 3
④ -3 ⑤ 5

03 이차방정식 $x^2+3=a(1+4x)$가 중근을 가질 때, 양수 a값과 그 중근의 합을 구하면?
① 1 ② $\frac{3}{2}$ ③ $\frac{9}{4}$

04 이차방정식 $4(x+a)^2=32$의 해가 $x=3\pm2\sqrt{b}$ 대입하여 $a+b$의 값을 구하려면?
① -2 ② -1
④ 1 ⑤ -2

05 이차방정식 $2(2x-1)^2=6k+2$가 서로 상수 k의 값의 범위를 구하여라.

---

7 책속의 책 : 정답 및 풀이

- 친절하고 깔끔한 풀이가 내가 틀린 문제에 대한 문제 풀이의 이해를 돕습니다.
- 맞은 문제도 풀이 책을 보면서 문제풀이 과정이 옳았는지 확인해 볼 수 있습니다.
- 다른 풀이를 통해 여러 가지 풀이 방법을 제시하였습니다.

Ⅳ. 이차함수와 그래프

정답 및 풀이

이 책의 활용법

1 학습목표를 여러 번 읽어 보며 개념이 어떻게 문제로 표현될지 생각해 본다.

2 핵심 정리를 보며 내가 올바르게 소단원의 개념을 이해하고 있는지 확인한다.

3 체크 문제를 풀어보고 각 소단원에 해당하는 기본 개념이 제대로 잡혀 있는지 확인한다.

4 대표 예제를 통해 기본 문제를 이해한다.

5 〈어떤 교과서에나 나오는 문제〉 코너와 〈시험에 꼭 나오는 문제〉 코너의 문제를 풀이한 뒤,
풀이 과정까지 옳게 되었는지 확인한다. ▶ 틀린 유형의 문제는 여러 번 풀어본다.

6 단원종합문제 풀이를 실제 시험처럼 시간을 정해 두고 푼다. ▶ 출제 가능성 높은 문제들로 구성하였기 때문에
틀린 문제는 반드시 다시 풀어서 실제 시험에서는 틀리지 않도록 오답노트를 만든다.

제곱근과 그 성질

학습목표 • 제곱근의 뜻을 알고, 그 성질을 이해한다.

기본 체크

01

다음 수를 근호를 사용하지 않고 나타내어라.

(1) $\sqrt{100}$ (2) $-\sqrt{81}$

(3) $\sqrt{0.01}$ (4) $\sqrt{\dfrac{1}{16}}$

02

다음 값을 구하여라.

(1) $(\sqrt{6})^2$ (2) $(\sqrt{3})^2$

(3) $-(\sqrt{11})^2$ (4) $-(\sqrt{2})^2$

핵심 정리

제곱근의 뜻

제곱하여 양수 a가 되는 수 x를 a의 제곱근이라고 한다.

↪ 양수나 음수를 제곱하면 항상 양수가 되므로 음수의 제곱근은 생각하지 않는다.

주의 • a의 제곱근: $\pm\sqrt{a}$

• 제곱근 a : $\sqrt{a}$ '플러스 마이너스 루트 a'라고 읽는다.

$$\boxed{\begin{matrix} 2 \\ -2 \end{matrix}} \underset{\text{제곱근}}{\overset{\text{제곱}}{\rightleftarrows}} \boxed{4}$$

제곱근의 성질

$a>0$일 때,

① $(\sqrt{a})^2=a$, $(-\sqrt{a})^2=a$

② $\sqrt{a^2}=a$, $\sqrt{(-a)^2}=a$

제곱근의 크기

$a>0$, $b>0$일 때,

① $a<b$이면 $\sqrt{a}<\sqrt{b}$

② $\sqrt{a}<\sqrt{b}$이면 $a<b$ ↪ 어떤 양수가 커지면 그 수의 제곱근도 커진다.

대표예제

• 정답 및 풀이 2쪽

01 다음을 계산하여라.

(1) $(-\sqrt{2})^2+\sqrt{(-7)^2}$ (2) $-\sqrt{1.3^2}\times(\sqrt{3})^2$

(3) $(\sqrt{5})^2+(-\sqrt{7})^2$ (4) $\sqrt{49}-\sqrt{(-3)^2}$

풀이 (1) $(-\sqrt{2})^2=\boxed{}$, $\sqrt{(-7)^2}=\boxed{}$이므로

$(-\sqrt{2})^2+\sqrt{(-7)^2}=\boxed{}+\boxed{}=\boxed{}$

(2) $-\sqrt{1.3^2}=\boxed{}$, $(\sqrt{3})^2=\boxed{}$이므로

$-\sqrt{1.3^2}\times(\sqrt{3})^2=\boxed{}\times\boxed{}=\boxed{}$

(3) $(\sqrt{5})^2=\boxed{}$, $(-\sqrt{7})^2=\boxed{}$이므로

$(\sqrt{5})^2+(-\sqrt{7})^2=\boxed{}+\boxed{}=\boxed{}$

(4) $\sqrt{49}=\sqrt{7^2}=\boxed{}$, $\sqrt{(-3)^2}=\boxed{}$이므로

$\sqrt{49}-\sqrt{(-3)^2}=\boxed{}-\boxed{}=\boxed{}$

02 $\sqrt{(-36)^2}$의 양의 제곱근을 A, $(-\sqrt{9})^2$의 음의 제곱근을 B라 할 때, $A-B$의 값을 구하여라.

풀이 $\sqrt{(-36)^2}=36$의 양의 제곱근은 $A=\boxed{}$

$(-\sqrt{9})^2=9$의 음의 제곱근은 $B=\boxed{}$

$\therefore A-B=\boxed{}-(\boxed{})=\boxed{}$

a의 제곱근
$\Leftrightarrow x^2=a$를 만족하는 x의 값
$\Leftrightarrow$ 제곱해서 a가 되는 수
$\Leftrightarrow \sqrt{a},\ -\sqrt{a}$

03 a가 자연수일 때, $\sqrt{24a}$가 가장 작은 자연수가 되도록 하는 a의 값을 구하여라.

풀이 $\sqrt{24a}$가 자연수가 되려면 $24a$가 제곱수가 되어야 한다.

$24a=4\times6\times a=2^2\times6\times a$에서

$a=\boxed{}$일 때 $24a=\boxed{}^2$이 된다.

$\therefore a=\boxed{}$

$\sqrt{(제곱수)}\times\sqrt{(자연수)^2}$
$=(자연수)$

04 다음 두 수의 대소를 비교하여 부등호를 써서 나타내어라.

(1) 4, $\sqrt{17}$　　　　　　　(2) $\dfrac{1}{4}$, $\sqrt{\dfrac{1}{5}}$

풀이 (1) $4=\sqrt{16}$이고 $16<17$이므로 $\sqrt{16}\ \boxed{}\ \sqrt{17}$이다.

$\therefore 4\ \boxed{}\ \sqrt{17}$

(2) $\dfrac{1}{4}=\sqrt{\dfrac{1}{16}}$이고 $\dfrac{1}{16}<\dfrac{1}{5}$이므로 $\sqrt{\dfrac{1}{16}}\ \boxed{}\ \sqrt{\dfrac{1}{5}}$이다.

$\therefore \dfrac{1}{4}\ \boxed{}\ \sqrt{\dfrac{1}{5}}$

a와 $\sqrt{b}$의 대소 비교
(단, $a>0$, $b>0$)
① 각 수를 제곱하여 a^2과 b를 비교한다.
② 근호가 없는 수를 근호가 있는 수로 바꾸어 $\sqrt{a^2}$과 $\sqrt{b}$를 비교한다.

 제곱수

$1^2=1, 2^2=4, 3^2=9, \cdots$와 같이 자연수의 제곱인 수를 제곱수라고 한다. 제곱수 이외에 일정한 물건으로 삼각형, 사각형, 오각형 모양을 만들어 놓았을 때, 사용된 물건의 총 개수들을 각각 삼각수, 사각수, 오각수라 한다.

어떤 교과서에나 나오는 문제

---

01 $(-4)^2$의 제곱근은?

① 4   ② -4 ③ ± 4

④ 2   ⑤ ± 2

---

02 100의 양의 제곱근을 a, $\sqrt{81}$의 음의 제곱근을 b라고 할 때, $a+b$의 값은?

① 1   ② 3   ③ 7

④ 13   ⑤ 19

---

03 다음 주어진 수의 제곱근을 구할 때, 근호를 사용하지 않고 나타낼 수 있는 것은 모두 몇 개인가?

$$\sqrt{16},\ 3,\ \sqrt{121},\ (-7)^2,\ 25$$

① 1개   ② 2개   ③ 3개

④ 4개   ⑤ 5개

---

04 다음 중 옳은 것은?

① $(\sqrt{11})^2 = -11$ ② $-\sqrt{(-5)^2} = -5$

③ $\sqrt{(-10)^2} = -10$ ④ $(-\sqrt{0.2})^2 = \pm 0.2$

⑤ $\sqrt{8^2} = \pm 8$

---

05 $\sqrt{25}-\sqrt{(-6)^2}+(-\sqrt{3})^2$을 계산하여라.

06 다음 중 두 수의 대소 관계가 옳은 것은?

① $2<\sqrt{3}$ 　　　② $-\sqrt{6}<-\sqrt{7}$

③ $\dfrac{1}{3}>\sqrt{\dfrac{1}{3}}$ 　　　④ $0<-\sqrt{5}$

⑤ $-\sqrt{2}>-2$

07 부등식 $2<\sqrt{x}<3$을 만족하는 정수 x의 개수는?

① 0 　　　② 1 　　　③ 2

④ 3 　　　⑤ 4

08 n이 자연수일 때, $\sqrt{\dfrac{1800}{n}}$이 자연수가 되도록 하는 가장 큰 두 자리 자연수 n의 값을 구하여라.

시험에 꼭 나오는 문제

1 중요도 ☐ 손도 못댐 ☐ 과정 실수 ☐ 틀린 이유:

x가 a의 제곱근임을 나타내는 식은? (단, $a>0$)

① $x^2=a$ ② $a=\pm\sqrt{x}$ ③ $x^2=a^2$
④ $x=a$ ⑤ $x=\sqrt{a}$

---

2 중요도 ☐ 손도 못댐 ☐ 과정 실수 ☐ 틀린 이유:

보기에서 옳은 것만을 있는 대로 고른 것은?

> **보기**
> ㄱ. 모든 수의 제곱근은 2개이다.
> ㄴ. 양수 a의 제곱근이 p, q이면 $p+q=0$
>   이다.
> ㄷ. -3의 제곱근은 $\pm\sqrt{-3}$이다.
> ㄹ. $\sqrt{16}$의 제곱근은 ±2이다.

① ㄱ, ㄷ   ② ㄱ, ㄹ   ③ ㄴ, ㄷ
④ ㄴ, ㄹ   ⑤ ㄷ, ㄹ

---

3 중요도 ☐ 손도 못댐 ☐ 과정 실수 ☐ 틀린 이유:

$\sqrt{a^2}=9$일 때, a의 값은?

① $\pm\sqrt{3}$ ② ±3 ③ ±9
④ ±18 ⑤ ±81

---

4 중요도 ☐ 손도 못댐 ☐ 과정 실수 ☐ 틀린 이유:

제곱근 $\dfrac{16}{9}$을 a, $\sqrt{\dfrac{1}{81}}$의 음의 제곱근을 b라 할 때,
$a+b$의 값은?

① -2 ② -1 ③ 0
④ 1 ⑤ 2

중요도 ☐ 손도 못댐 ☐ 과정 실수 ☐ 틀린 이유:

5 그림에서 사각형 A, B, C는 모두 정사각형이고, 각 정사각형의 넓이 사이에는 B는 C의 3배, A는 B의 3배인 관계가 있다고 한다. A의 넓이가 $2\ \text{cm}^2$일 때, C의 한 변의 길이는?

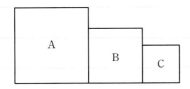

① $\dfrac{1}{9}$ cm 　② $\dfrac{\sqrt{3}}{6}$ cm 　③ $\dfrac{1}{3}$ cm

④ $\dfrac{\sqrt{2}}{3}$ cm 　⑤ $\dfrac{\sqrt{3}}{3}$ cm

중요도 ☐ 손도 못댐 ☐ 과정 실수 ☐ 틀린 이유:

6 $\sqrt{\dfrac{9}{16}} \div \sqrt{\left(\dfrac{1}{2}\right)^2} - \sqrt{(-2)^2} \times \dfrac{7}{4}$ 을 계산하면?

① -5 　② -4 　③ -3

④ -2 　⑤ -1

중요도 ☐ 손도 못댐 ☐ 과정 실수 ☐ 틀린 이유:

7 다음 중 옳은 것은?

① $\sqrt{16} + \sqrt{(-5)^2} = -1$

② $(-\sqrt{7})^2 - \sqrt{(-4)^2} = 3$

③ $\sqrt{\left(-\dfrac{2}{3}\right)^2} \times (-\sqrt{36}) = 4$

④ $-\sqrt{\dfrac{4}{25}} \div (-\sqrt{5})^2 = 2$

⑤ $(-\sqrt{12})^2 \div \sqrt{4^2} = -3$

중요도 ☐ 손도 못댐 ☐ 과정 실수 ☐ 틀린 이유:

8 $0 < a < 2$일 때, $\sqrt{(a-2)^2} - \sqrt{(2-a)^2}$을 간단히 하면?

① $-2a-4$ 　② -4 　③ 0

④ $-2a$ 　⑤ $2a$

9 $0 < a < 1$일 때, $\sqrt{\left(a+\dfrac{1}{a}\right)^2} - \sqrt{\left(a-\dfrac{1}{a}\right)^2}$을 간단히 하면?

① $\dfrac{2}{a}$ 　　　② $2a$ 　　　③ 0

④ $-2a$ 　　　⑤ $-\dfrac{2}{a}$

10 $\sqrt{(x-2)^2} + \sqrt{(x+2)^2} = 4$일 때, x의 값의 범위는?

① $x > -2$ 　　② $x < 2$ 　　③ $x \geq -2$

④ $-2 \leq x \leq 2$ 　⑤ $x \leq 2$

11 다음 중 $\sqrt{2^2 \times 3^5 \times x}$가 양의 정수가 되도록 하는 x의 값을 모두 고르면? (정답 2개)

① 2 　　　② 9 　　　③ 16

④ 27 　　　⑤ 75

12 $\sqrt{\dfrac{252x}{5}}$가 자연수가 되도록 하는 x의 값 중 가장 작은 자연수는?

① 5 　　　② 7 　　　③ 12

④ 35 　　　⑤ 49

13

$\sqrt{2x+160}$이 정수가 되도록 하는 가장 작은 자연수 x의 값은?

① 14   ② 15   ③ 18

④ 24   ⑤ 28

14

다음 중 두 수의 대소 관계가 옳은 것은?

① $3 < \sqrt{8}$ ② $-\sqrt{48} < -7$

③ $\sqrt{\dfrac{3}{2}} < \dfrac{3}{2}$ ④ $-0.3 < -\sqrt{0.3}$

⑤ $-2 < -\sqrt{5}$

15

다음 수를 큰 수부터 순서대로 나열할 때, 네 번째에 오는 수는?

$$-\sqrt{0.5}, \ -\frac{1}{2}, \ 0, \ \sqrt{6}, \ -1$$

① $-\sqrt{0.5}$ ② $-\dfrac{1}{2}$ ③ 0

④ $\sqrt{6}$ ⑤ -1

16

$\sqrt{(3-2\sqrt{2}\,)^2} - \sqrt{(2\sqrt{2}-3)^2}$을 계산하면?

① $-6-4\sqrt{2}$ ② $-4\sqrt{2}$ ③ $-6+4\sqrt{2}$

④ 0   ⑤ $6-4\sqrt{2}$

02 무리수와 실수

학습목표 · 무리수의 개념과 실수의 대소 관계를 이해한다.

 기본 체크

01

다음 수들을 유리수와 무리수로 구분하여라.

$$-\frac{2}{3}, \ \sqrt{2}, \ -1, \ 0, \ \pi$$

02

다음 □ 안에 > 또는 <를 써넣으시오.

(1) $2+\sqrt{5}$ □ $3+\sqrt{5}$

(2) $5-\sqrt{2}$ □ $6-\sqrt{2}$

(3) $\sqrt{3}+\sqrt{7}$ □ $\sqrt{3}+\sqrt{8}$

(4) $-2+\sqrt{3}$ □ $-2+\sqrt{2}$

 핵심 정리

✹ 무리수
순환하지 않는 무한소수로 나타내어지는 수
① 유리수가 아닌 수 또는 순환하지 않는 무한소수
② 근호가 없어지지 않는 수

✹ 실수
유리수와 무리수를 통틀어 실수라고 한다.

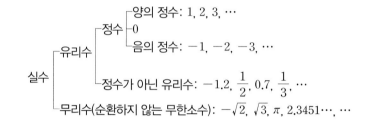

실수
- 유리수
  - 정수
    - 양의 정수: 1, 2, 3, …
    - 0
    - 음의 정수: $-1, -2, -3, \cdots$
  - 정수가 아닌 유리수: $-1.2, \frac{1}{2}, 0.7, \frac{1}{3}, \cdots$
- 무리수(순환하지 않는 무한소수): $-\sqrt{2}, \sqrt{3}, \pi, 2.3451\cdots, \cdots$

✹ 실수의 대소 관계
a, b가 실수일 때,
① $a-b>0$이면 $a>b$
② $a-b=0$이면 $a=b$
③ $a-b<0$이면 $a<b$

대표예제

· 정답 및 풀이 3쪽

01 다음 그림은 한 변의 길이가 1인 정사각형을 수직선 위에 그린 것이다. 이때 P에 대응하는 수를 구하여라.

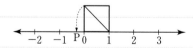

풀이 대각선의 길이가 □이고 □에서 왼쪽으로 이동했으므로
점에 대응하는 수는 □ 이다.

피타고라스의 정리에 의해 직각이등변삼각형의 빗변의 길이는 $\sqrt{1^2+1^2}=\sqrt{2}$이다.

02 한 칸의 가로, 세로의 길이가 각각 1인 정사각형 모양의 모눈종이 위에 수직선과 △ABC를 그렸다. 점 P에 대응하는 수를 구하여라.

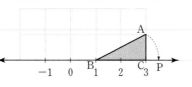

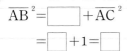 △ABC는 직각삼각형이므로 피타고라스의 정리에 의해

$$\overline{AB}^2 = \boxed{} + \overline{AC}^2$$
$$= \boxed{} + 1 = \boxed{}$$
$$\therefore \overline{AB} = \boxed{} \ (\because \overline{AB} > 0)$$

대응하는 점 P는 기준점 1보다 오른쪽에 있으므로 $1 + \boxed{}$

03 다음 두 실수의 대소를 비교하여라.

(1) $\sqrt{10} - 2, \ 1$　　　　　(2) $\sqrt{6} + \sqrt{3}, \ \sqrt{6} + 2$

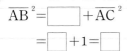 (1) $(\sqrt{10} - 2) - 1 = \sqrt{10} - 2 - 1$
　　　　　　　　 $= \sqrt{10} - 3$
　　　　　　　　 $= \sqrt{10} - \sqrt{9} > \boxed{}$
　　　$\therefore \sqrt{10} - 2 \ \boxed{} \ 1$

실수에서도 유리수에서와 같이 부등식의 성질이 성립한다.

(2) $(\sqrt{6} + \sqrt{3}) - (\sqrt{6} + 2) = \sqrt{6} + \sqrt{3} - \sqrt{6} - 2$
　　　　　　　　　　　　 $= \sqrt{3} - 2$
　　　　　　　　　　　　 $= \sqrt{3} - \sqrt{4} < \boxed{}$
　　　$\therefore \sqrt{6} + \sqrt{3} \ \boxed{} \ \sqrt{6} + 2$

04 세 실수 $a = \sqrt{15}$, $b = 3 + \sqrt{2}$, $c = 4$의 대소를 비교하여라.

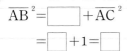 $(\sqrt{15})^2 = \boxed{}$, $4^2 = \boxed{}$ 이므로 $\sqrt{15} \ \boxed{} \ 4$
　　$\therefore a \ \boxed{} \ c$
　$b - c = (3 + \sqrt{2}) - 4 = \sqrt{2} - 1 \ \boxed{} \ 0$
　　$\therefore b \ \boxed{} \ c$
　　$\therefore a \ \boxed{} \ c \ \boxed{} \ b$

05 다음 수직선 위의 점 중에서 $\sqrt{78}$에 대응하는 점을 구하여라.

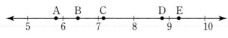

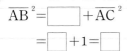 $\sqrt{64} < \sqrt{78} < \sqrt{81}$ 에서 $\boxed{} < \sqrt{78} < \boxed{}$

따라서 $\sqrt{78}$에 대응하는 점은 점 $\boxed{}$ 이다.

수직선에서 오른쪽에 있는 점에 대응하는 실수가 왼쪽에 있는 점에 대응하는 실수보다 더 크다.

 무리수의 정수부분과 소수부분

제곱근의 대소 관계를 이용하여 무리수 $\sqrt{2}$의 값을 다음과 같이 확인해 볼 수 있다.
$1^2 = 1$, $(\sqrt{2})^2 = 2$, $2^2 = 4$ 이고, $1 < 2 < 4$ 이므로 $1 < \sqrt{2} < 2$
따라서 $\sqrt{2} = 1.\cdots$ 이다. 그러므로 $\sqrt{2}$의 정수 부분은 1이고, 소수부분은 $\sqrt{2} - 1$이 된다.

어떤 교과서에나 나오는 문제

01 다음 중 무리수인 것은?

① $\sqrt{0}$ ② $\sqrt{100}$ ③ $-\sqrt{0.09}$

④ $\sqrt{11}$ ⑤ $\sqrt{\dfrac{4}{9}}$

02 다음 중 순환하지 않는 무한소수의 개수는?

$$\sqrt{0.01}, \ \pi+1, \ -\sqrt{2}, \ \frac{1}{9}, \ 2.4, \ 5-\sqrt{5}$$

① 2개 ② 3개 ③ 4개

④ 5개 ⑤ 6개

03 다음 중 $\sqrt{7}$에 대한 설명으로 옳은 것은?

① 유리수이다.
② 순환소수이다.
③ 순환하지 않는 무한소수이다.
④ 유한소수로 나타낼 수 있다.
⑤ $\dfrac{b}{a}$의 꼴로 나타낼 수 있다. (단, $a \neq 0$, a, b는 정수)

04 그림과 같이 수직선 위에 한 변의 길이가 1인 세 정사각형이 있다. 수직선 위의 점들 중에서 $-1+\sqrt{2}$에 대응하는 점은?

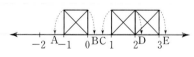

① A ② B ③ C
④ D ⑤ E

05 그림의 각 사각형은 한 변의 길이가 1인 정사각형일 때, 세 점 A, B, C의 좌표의 합은?

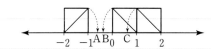

① $1-\sqrt{2}$　　② $1+\sqrt{2}$　　③ $2-\sqrt{2}$
④ $2+\sqrt{2}$　　⑤ $2\sqrt{2}$

중요도 ☐　손도 못댐 ☐　과정 실수 ☐　틀린 이유:

06 다음 중 옳은 것은?

① 4와 $\sqrt{26}$ 사이에는 자연수가 없다.
② -1과 0 사이에는 무리수가 없다.
③ -2와 $\sqrt{2}$ 사이에는 2개의 정수가 있다.
④ $\dfrac{1}{8}$과 $\dfrac{1}{2}$ 사이에는 유리수가 없다.
⑤ $\sqrt{2}$와 $\sqrt{5}$ 사이에는 무수히 많은 유리수가 있다.

중요도 ☐　손도 못댐 ☐　과정 실수 ☐　틀린 이유:

07 다음 중 두 실수의 대소 관계가 옳지 <u>않은</u> 것은?

① $3-\sqrt{5}>1$　　② $-3>-2-\sqrt{2}$
③ $4>\sqrt{8}+1$　　④ $1-\sqrt{5}<1-\sqrt{2}$
⑤ $\sqrt{5}+\sqrt{3}<\sqrt{6}+\sqrt{5}$

중요도 ☐　손도 못댐 ☐　과정 실수 ☐　틀린 이유:

08 다음 세 수 a, b, c에 대하여 가장 큰 수와 가장 작은 수의 합을 구하여라.

$$a=\sqrt{2}-2, \qquad b=\sqrt{3}-2, \qquad c=-3$$

중요도 ☐　손도 못댐 ☐　과정 실수 ☐　틀린 이유:

시험에 꼭 나오는 문제

중요도 ☐ 손도 못댐 ☐ 과정 실수 ☐ 틀린 이유:

1 다음 중 무리수는 모두 몇 개인가?

$$\sqrt{9}, \ -\sqrt{12}, \ 3.14, \ \sqrt{0.04}, \ \pi, \ \sqrt{(-5)^2}$$

① 2개　　　② 3개　　　③ 4개
④ 5개　　　⑤ 6개

중요도 ☐ 손도 못댐 ☐ 과정 실수 ☐ 틀린 이유:

2 다음 중 한 변의 길이가 유리수인 것은?

① 넓이가 5인 정사각형
② 넓이가 8인 정사각형
③ 넓이가 16인 정사각형
④ 넓이가 32인 정사각형
⑤ 둘레의 길이가 $8\sqrt{2}$인 정사각형

중요도 ☐ 손도 못댐 ☐ 과정 실수 ☐ 틀린 이유:

3 다음 중 그 제곱근이 무리수인 것은?

① 1　　　② 4　　　③ $\dfrac{1}{4}$
④ $\sqrt{25}$　　　⑤ 9

중요도 ☐ 손도 못댐 ☐ 과정 실수 ☐ 틀린 이유:

4 다음 중 $\sqrt{7}$에 대한 설명으로 옳은 것은?

① 정수이다.
② 기약분수로 나타낼 수 있다.
③ 순환소수이다.
④ 제곱하면 무리수가 된다.
⑤ 순환하지 않는 무한소수이다.

중요도 ☐ 손도 못댐 ☐ 과정 실수 ☐ 틀린 이유:

5 다음 중 옳은 것을 모두 고르면? (정답 2개)

① 유한소수는 유리수이다.
② 무한소수는 무리수이다.
③ $\sqrt{9}$는 무리수이다.
④ 제곱근 4는 ± 2이다.
⑤ 실수 중에서 유리수가 아닌 것은 모두 무리수이
다.

중요도 ☐ 손도 못댐 ☐ 과정 실수 ☐ 틀린 이유:

6 $a=-\sqrt{3}$일 때, 다음 중 무리수인 것은?

① a^2 　　　 ② $(-a)^2$ 　　　 ③ $a+\sqrt{3}$
④ $\sqrt{3}a$ 　　　 ⑤ $3a$

중요도 ☐ 손도 못댐 ☐ 과정 실수 ☐ 틀린 이유:

7 n이 100 이하의 자연수일 때, $\sqrt{n}$이 무리수가 되는 n
의 개수는?

① 70개 　　　 ② 75개 　　　 ③ 80개
④ 85개 　　　 ⑤ 90개

중요도 ☐ 손도 못댐 ☐ 과정 실수 ☐ 틀린 이유:

8 그림과 같이 한 변의 길이가 2인 정사각형 ABCD의
내부에 있는 정사각형 EFGH의 넓이는 2이다.
B(1), C(3)이고, $\overline{GF}=\overline{GQ}$, $\overline{GH}=\overline{GP}$일 때, $\overline{PQ}$
의 길이는?

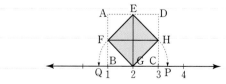

① $-1+2\sqrt{2}$ 　　　 ② $2\sqrt{2}$ 　　　 ③ $1+2\sqrt{2}$
④ $-1+\sqrt{2}$ 　　　 ⑤ $1+\sqrt{2}$

시험에 꼭 나오는 문제

9 그림과 같이 한 변의 길이가 $\sqrt{10}$인 정사각형 ABCD를 그렸다. $\overline{AB}=\overline{AP}$, $\overline{AD}=\overline{AQ}$이고 점 P에 대응하는 수가 $3+\sqrt{10}$일 때, 점 Q에 대응하는 수를 구하여라.

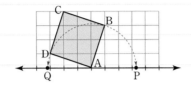

10 다음 중 옳은 것은?

① 서로 다른 두 무리수의 곱은 항상 무리수이다.
② 두 유리수의 곱이 무리수인 경우도 있다.
③ 두 무리수 사이에는 유리수가 존재하지 않는다.
④ 수직선은 실수에 대응하는 점들로 완전히 메울 수 있다.
⑤ 두 무리수의 합은 항상 무리수이다.

11 $\sqrt{19}$의 정수 부분을 a, $\sqrt{23}$의 소수 부분을 b라 할 때, $2a-b$의 값은?

① $12-\sqrt{23}$ ② $23+\sqrt{6}$ ③ $8-\sqrt{19}$
④ $\sqrt{19}-8$ ⑤ $7+\sqrt{23}$

12 다음 중 ☐ 안에 알맞은 부등호가 나머지 넷과 <u>다른</u> 하나는?

① $3+\sqrt{5}$ ☐ $\sqrt{5}+\sqrt{10}$ ② $2\sqrt{3}+1$ ☐ $\sqrt{3}-3$
③ $5-\sqrt{3}$ ☐ $2+3\sqrt{3}$ ④ $2\sqrt{7}-1$ ☐ $\sqrt{7}+2$
⑤ $2\sqrt{2}-1$ ☐ $\sqrt{2}+1$

중요도 ☐ 손도 못댐 ☐ 과정 실수 ☐ 틀린 이유:

13 다음 세 수의 대소 관계를 바르게 나타낸 것은?

$$a=\sqrt{5}+\sqrt{7},\ b=2+\sqrt{7},\ c=\sqrt{5}+3$$

① $a<b<c$ ② $a<c<b$ ③ $b<a<c$
④ $b<c<a$ ⑤ $c<a<b$

중요도 ☐ 손도 못댐 ☐ 과정 실수 ☐ 틀린 이유:

14 다음에 주어진 수를 크기가 작은 것부터 차례로 나열할 때, 두 번째에 해당하는 것은?

① $\sqrt{5}+\sqrt{3}$ ② $-1-\sqrt{5}$ ③ $\sqrt{5}+2$
④ -4 ⑤ $-\sqrt{5}$

중요도 ☐ 손도 못댐 ☐ 과정 실수 ☐ 틀린 이유:

15 다음 수직선 위의 점 중에서 $3-\sqrt{2}$에 대응하는 점은?

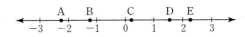

① 점 A ② 점 B ③ 점 C
④ 점 D ⑤ 점 E

중요도 ☐ 손도 못댐 ☐ 과정 실수 ☐ 틀린 이유:

16 다음 수직선에서 $2+\sqrt{13}$에 대응하는 점이 있는 구간은?

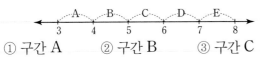

① 구간 A ② 구간 B ③ 구간 C
④ 구간 D ⑤ 구간 E

03 제곱근의 곱셈과 나눗셈

학습목표 • 근호를 포함한 식의 곱셈과 나눗셈을 할 수 있다.

 기본 체크

01
다음 식을 간단히 하여라.

(1) $\sqrt{5}\sqrt{6}$ (2) $-\sqrt{2}\sqrt{8}$

(3) $\dfrac{\sqrt{12}}{\sqrt{2}}$ (4) $\sqrt{27} \div \sqrt{9}$

02
다음 수의 분모를 유리화하여라.

(1) $\dfrac{1}{\sqrt{6}}$ (2) $\dfrac{3}{\sqrt{2}}$

(3) $\dfrac{\sqrt{5}}{\sqrt{3}}$ (4) $-\dfrac{1}{2\sqrt{7}}$

 핵심 정리

🔩 제곱근의 성질
$a>0$, $b>0$일 때,

① $\sqrt{a}\sqrt{b}=\sqrt{ab}$

② $\sqrt{a^2 b}=a\sqrt{b}$ —— $a\sqrt{b}$꼴로 나타낼 때, b는 가장 작은 자연수가 되도록 한다.

③ $\dfrac{\sqrt{a}}{\sqrt{b}}=\sqrt{\dfrac{a}{b}}$

🔩 분모의 유리화
분수의 분모가 근호를 포함한 무리수일 때, 분모를 유리수로 고치는 것

$a>0$, $b>0$일 때, $\dfrac{\sqrt{a}}{\sqrt{b}}=\dfrac{\sqrt{a}\sqrt{b}}{\sqrt{b}\sqrt{b}}=\dfrac{\sqrt{ab}}{b}$

—— 분모에 있는 무리수를 분모, 분자에 곱한다.

 대표예제

• 정답 및 풀이 5쪽

01 다음 수를 $a\sqrt{b}$의 꼴로 나타내어라.

(1) $\sqrt{32}$ (2) $\sqrt{45}$

풀이 (1) $\sqrt{32}=\sqrt{4^2\times 2}=\boxed{}$

(2) $\sqrt{45}=\sqrt{3^2\times 5}=\boxed{}$

02 다음 수를 $\sqrt{a}$의 꼴로 나타내어라.

(1) $5\sqrt{3}$ (2) $\dfrac{1}{2}\sqrt{20}$

풀이 (1) $5\sqrt{3}=\sqrt{\boxed{}}\times\sqrt{3}=\sqrt{\boxed{}\times 3}=\boxed{}$

(2) $\dfrac{1}{2}\sqrt{20}=\sqrt{\boxed{}}\times\sqrt{20}=\sqrt{\boxed{}\times 20}=\boxed{}$

$a\sqrt{b}=a\times\sqrt{b}$
$=\sqrt{a^2}\times\sqrt{b}$
$=\sqrt{a^2 b}$

03 다음 식을 간단히 하여라.

(1) $2\sqrt{6}\times3\sqrt{2}\div\sqrt{3}$　　　　　(2) $\sqrt{28}\div\dfrac{\sqrt{7}}{\sqrt{3}}\times\dfrac{\sqrt{5}}{2}$

풀이 (1) $2\sqrt{6}\times3\sqrt{2}\div\sqrt{3}=\boxed{}\div\sqrt{3}$

$\qquad=\dfrac{6\sqrt{12}}{\boxed{}}=6\sqrt{\dfrac{12}{\boxed{}}}$

$\qquad=6\sqrt{4}=6\times\boxed{}=\boxed{}$

(2) $\sqrt{28}\div\dfrac{\sqrt{7}}{\sqrt{3}}\times\dfrac{\sqrt{5}}{2}=\sqrt{28}\times\boxed{}\times\dfrac{\sqrt{5}}{2}$

$\qquad=\dfrac{\sqrt{28\times3}}{\boxed{}}\times\dfrac{\sqrt{5}}{2}=\dfrac{\sqrt{84}}{\boxed{}}\times\dfrac{\sqrt{5}}{2}$

$\qquad=\boxed{}\times\dfrac{\sqrt{5}}{2}=\dfrac{\boxed{}}{2}$

$\qquad=\dfrac{\boxed{}}{2}=\boxed{}$

> 분수의 나눗셈은 나누는 수의 역수를 곱하여 계산한다.

04 다음 수의 분모를 유리화하여라.

(1) $\dfrac{\sqrt{3}}{\sqrt{7}}$　　　　　(2) $\dfrac{\sqrt{5}}{2\sqrt{3}}$

풀이 (1) 분모와 분자에 각각 $\boxed{}$을 곱하면

$\qquad\dfrac{\sqrt{3}}{\sqrt{7}}=\dfrac{\sqrt{3}\times\boxed{}}{\sqrt{7}\times\boxed{}}=\boxed{}$

(2) 분모와 분자에 각각 $\boxed{}$을 곱하면

$\qquad\dfrac{\sqrt{5}}{2\sqrt{3}}=\dfrac{\sqrt{5}\times\boxed{}}{2\sqrt{3}\times\boxed{}}=\dfrac{\boxed{}}{2\times\boxed{}}=\boxed{}$

> 분모에 있는 무리수를 분모와 분자에 각각 곱한다.
> $\sqrt{3}$ 대신 $2\sqrt{3}$을 곱하여 $\dfrac{\sqrt{5}\times2\sqrt{3}}{2\sqrt{3}\times2\sqrt{3}}$ 으로 계산하면 $\dfrac{2\sqrt{15}}{12}=\dfrac{\sqrt{15}}{6}$ 로 약분과정 이 더 발생한다.

분모의 유리화

분수의 분모에 무리수가 있는 것보다 분모를 유리수로 고쳤을 때 그 계산이 훨씬 간편하다는 것을 예를 통하여 이해하고, $a>0$일 때 무리수 $\sqrt{a}$를 제곱하면 유리수 a가 되는 성질을 이용하여 분모인 무리수를 유리수로 고치는 방법을 이해한다.

(예) $\dfrac{\sqrt{3}}{\sqrt{7}}=\dfrac{1.732\cdots}{2.646\cdots}$, $\dfrac{\sqrt{3}\times\sqrt{7}}{\sqrt{7}\times\sqrt{7}}=\dfrac{\sqrt{21}}{7}=\dfrac{4.583\cdots}{7}$

어떤 교과서에나 나오는 문제

01 중요도 □ 손도 못댐 □ 과정 실수 □ 틀린 이유:

$\sqrt{0.08} \times \sqrt{0.5}$를 간단히 하면?

① $\sqrt{0.4}$ ② 0.4 ③ 0.04
④ 0.2 ⑤ $\sqrt{0.2}$

02 중요도 □ 손도 못댐 □ 과정 실수 □ 틀린 이유:

$\sqrt{24} = a\sqrt{6}$, $\sqrt{48} = b\sqrt{3}$일 때, $a+b$의 값은?

① 3 ② 4 ③ 5
④ 6 ⑤ 7

03 중요도 □ 손도 못댐 □ 과정 실수 □ 틀린 이유:

다음 중 가장 큰 수는?

① $2\sqrt{3}$ ② $3\sqrt{5}$ ③ $4\sqrt{2}$
④ $\sqrt{42}$ ⑤ $2\sqrt{11}$

04 중요도 □ 손도 못댐 □ 과정 실수 □ 틀린 이유:

$\sqrt{18} \times \sqrt{12} \times \sqrt{50} = a\sqrt{3}$일 때, a의 값은?

① 12 ② 30 ③ 40
④ 60 ⑤ 90

• 정답 및 풀이 5쪽

05 중요도 ☐ 손도 못댐 ☐ 과정 실수 ☐ 틀린 이유:

다음 중 옳지 <u>않은</u> 것은?

① $\dfrac{\sqrt{15}}{\sqrt{5}} = \sqrt{3}$

② $-\dfrac{\sqrt{45}}{\sqrt{5}} = -\sqrt{3}$

③ $\sqrt{108} \div \sqrt{18} = \sqrt{6}$

④ $2\sqrt{20} \div 3\sqrt{10} = \dfrac{2\sqrt{2}}{3}$

⑤ $\sqrt{\dfrac{12}{7}} \times \sqrt{\dfrac{49}{6}} = \sqrt{14}$

06 중요도 ☐ 손도 못댐 ☐ 과정 실수 ☐ 틀린 이유:

$\sqrt{2} = a$, $\sqrt{3} = b$라고 할 때, $\sqrt{12}$를 a, b를 사용하여 나타내면?

① $a^2 b$　　② $2ab$　　③ $2a+b$
④ ab^2　　⑤ $a^2 b^2$

07 중요도 ☐ 손도 못댐 ☐ 과정 실수 ☐ 틀린 이유:

$\dfrac{1}{\sqrt{2}} \times \dfrac{\sqrt{8}}{\sqrt{5}} \div \left(-\dfrac{\sqrt{6}}{\sqrt{10}} \right) = a\sqrt{3}$일 때, 유리수 a의 값을 구하여라.

08 중요도 ☐ 손도 못댐 ☐ 과정 실수 ☐ 틀린 이유:

가로의 길이가 $\dfrac{2\sqrt{6}}{3}$ cm이고, 세로의 길이가 $\dfrac{\sqrt{12}}{4}$ cm인 직사각형의 넓이를 구하여라.

시험에 꼭 나오는 문제

중요도 ☐ 손도 못댐 ☐ 과정 실수 ☐ 틀린 이유:

1 다음 중 옳은 것은?

① $\sqrt{5} \times \sqrt{5} = 25$

② $\dfrac{\sqrt{12}}{\sqrt{6}} = \sqrt{2}$

③ $\sqrt{\dfrac{18}{7}}\sqrt{\dfrac{7}{2}} = \sqrt{3}$

④ $\sqrt{21} \div \sqrt{3} = 7$

⑤ $\sqrt{2}\sqrt{3}\sqrt{5} = \sqrt{10}$

중요도 ☐ 손도 못댐 ☐ 과정 실수 ☐ 틀린 이유:

2 다음 중 옳지 <u>않은</u> 것은?

① $\sqrt{3}\sqrt{5} = \sqrt{15}$

② $2\sqrt{2} \times 3\sqrt{7} = 6\sqrt{14}$

③ $\sqrt{\dfrac{2}{5}}\sqrt{\dfrac{15}{2}} = \sqrt{3}$

④ $2\sqrt{12} \div 3\sqrt{6} = \dfrac{4}{3}$

⑤ $\dfrac{\sqrt{21}}{\sqrt{3}} \div \dfrac{\sqrt{7}}{\sqrt{6}} = \sqrt{6}$

중요도 ☐ 손도 못댐 ☐ 과정 실수 ☐ 틀린 이유:

3 $\sqrt{32} = a\sqrt{2}$, $\sqrt{216} = b\sqrt{6}$일 때, $\sqrt{2ab}$의 값은?

① $2\sqrt{3}$

② $4\sqrt{3}$

③ $4\sqrt{5}$

④ $4\sqrt{6}$

⑤ $6\sqrt{2}$

중요도 ☐ 손도 못댐 ☐ 과정 실수 ☐ 틀린 이유:

4 $\sqrt{10} \times \sqrt{12} \times \sqrt{15} \times \sqrt{20} = a\sqrt{10}$일 때, 자연수 a의 값은?

① 30

② 40

③ 50

④ 60

⑤ 70

5 　$3 \times \sqrt{5} \times \sqrt{k} = \sqrt{2} \times \sqrt{18}$을 만족하는 양의 유리수 k의 값은?

　① $\dfrac{1}{5}$ 　　　② $\dfrac{2}{5}$ 　　　③ $\dfrac{3}{5}$

　④ $\dfrac{4}{5}$ 　　　⑤ 1

6 　$\sqrt{2} \times \sqrt{3} \times \sqrt{a} \times \sqrt{10} \times \sqrt{15a} = 60$일 때, 자연수 a의 값은?

　① 2 　　　② 3 　　　③ 4

　④ 5 　　　⑤ 6

7 　$4\sqrt{6} \div 2\sqrt{2} \times 5\sqrt{3}$을 간단히 한 것은?

　① $15\sqrt{2}$ 　　　② 30 　　　③ $30\sqrt{2}$

　④ $10\sqrt{3}$ 　　　⑤ 60

8 　$\sqrt{100+x} = 6\sqrt{3}$을 만족하는 자연수 x의 값은?

　① 8 　　　② 12 　　　③ 15

　④ 18 　　　⑤ 21

중요도 ☐ 손도 못댐 ☐ 과정 실수 ☐ 틀린 이유:

9 $\dfrac{\sqrt{180}}{3\sqrt{k}}=\dfrac{2\sqrt{35}}{7}$ 를 만족하는 자연수 k의 값은?

① 2　　　　② 7　　　　③ 14

④ 21　　　　⑤ 28

중요도 ☐ 손도 못댐 ☐ 과정 실수 ☐ 틀린 이유:

10 $2\sqrt{6}\times\sqrt{a}\div\sqrt{15}=3$일 때, 양수 a의 값은?

① $\dfrac{41}{8}$　　　② $\dfrac{43}{8}$　　　③ $\dfrac{45}{8}$

④ $\dfrac{47}{8}$　　　⑤ $\dfrac{49}{8}$

중요도 ☐ 손도 못댐 ☐ 과정 실수 ☐ 틀린 이유:

11 $\dfrac{3}{2\sqrt{2}}\div(-6\sqrt{10})\times2\sqrt{15}$ 를 간단히 한 것은?

① $-\dfrac{\sqrt{3}}{4}$　　② $-\dfrac{3}{4}$　　③ $-\dfrac{3}{2}$

④ $-\dfrac{\sqrt{3}}{2}$　　⑤ $-\dfrac{3\sqrt{3}}{4}$

중요도 ☐ 손도 못댐 ☐ 과정 실수 ☐ 틀린 이유:

12 $\sqrt{500}$은 $\sqrt{5}$의 A배이고 $\sqrt{0.2}$는 $\sqrt{5}$의 B배일 때, AB의 값은?

① 2　　　　② 5　　　　③ 10

④ $2\sqrt{5}$　　　⑤ $\sqrt{5}$

중요도 ☐ 손도 못댐 ☐ 과정 실수 ☐ 틀린 이유:

13 $\sqrt{2}=a$, $\sqrt{7}=b$일 때, $\sqrt{98}$을 a, b를 사용하여 나타내면?

① ab ② a^2b ③ ab^2
④ a^2b^2 ⑤ a^3b

중요도 ☐ 손도 못댐 ☐ 과정 실수 ☐ 틀린 이유:

14 $\sqrt{5}\times\sqrt{10}\times\sqrt{15}\times\sqrt{20}\times\sqrt{25}=k\sqrt{6}$일 때, 상수 k의 값은?

① 230 ② 235 ③ 240
④ 245 ⑤ 250

중요도 ☐ 손도 못댐 ☐ 과정 실수 ☐ 틀린 이유:

15 $\dfrac{5}{\sqrt{20}}=A\sqrt{5}$, $\dfrac{4}{3\sqrt{2}}=B\sqrt{2}$일 때, AB의 값은?

① $\dfrac{1}{6}$ ② $\dfrac{1}{3}$ ③ $\dfrac{1}{2}$
④ $\dfrac{2}{3}$ ⑤ $\dfrac{5}{6}$

중요도 ☐ 손도 못댐 ☐ 과정 실수 ☐ 틀린 이유:

16 밑면의 반지름의 길이가 $2\sqrt{3}$ cm인 원기둥의 부피가 $\sqrt{720}\pi$ cm³일 때, 이 원기둥의 높이는?

① $\sqrt{2}$ cm ② $\sqrt{3}$ cm ③ 2 cm
④ $\sqrt{5}$ cm ⑤ $\sqrt{6}$ cm

04 제곱근의 덧셈과 뺄셈

근호 안의 수가 같은 것을 다항식의 동류항과 같이 생각한다.

학습목표 • 근호를 포함한 식의 덧셈과 뺄셈을 할 수 있다.

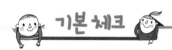

01
다음 식을 간단히 하여라.

(1) $2\sqrt{2}+4\sqrt{2}$

(2) $2\sqrt{3}-8\sqrt{3}$

02
다음 식을 간단히 하여라.

(1) $\dfrac{3}{\sqrt{3}}+\sqrt{27}$

(2) $\sqrt{24}-\dfrac{\sqrt{3}}{\sqrt{2}}$

(3) $\sqrt{\dfrac{3}{16}}-\sqrt{48}+\sqrt{\dfrac{27}{4}}$

근호를 포함한 식의 덧셈과 뺄셈
근호 안의 수가 같은 것끼리 모아서 계산한다.

① 덧셈 : $m\sqrt{a}+n\sqrt{a}=(m+n)\sqrt{a}$

② 뺄셈 : $m\sqrt{a}-n\sqrt{a}=(m-n)\sqrt{a}$

근호를 포함한 식의 혼합 계산
① 괄호가 있을 때에는 분배법칙을 이용하여 괄호를 푼 후 계산한다.

② 덧셈, 뺄셈, 곱셈, 나눗셈이 섞여 있을 때에는 덧셈과 뺄셈보다 곱셈과 나눗셈을 먼저 계산한다.

제곱근의 값을 이용한 계산
① 100보다 큰 수

: $\sqrt{100a}=10\sqrt{a}$, $\sqrt{10000a}=100a$ …

② 0과 1 사이의 수

: $\sqrt{\dfrac{a}{100}}=\dfrac{\sqrt{a}}{10}$, $\sqrt{\dfrac{a}{10000}}=\dfrac{\sqrt{a}}{100}$ …

예 $\sqrt{5}=2.236$이고 $\sqrt{50}=7.071$일 때, $\sqrt{0.5}$의 값을 구하면?

$\sqrt{0.5}=\sqrt{\dfrac{5}{10}}=\sqrt{\dfrac{50}{100}}=\dfrac{\sqrt{50}}{10}=0.7071$

대표예제

• 정답 및 풀이 6쪽

01 다음을 계산하여라.

(1) $3\sqrt{2}+6\sqrt{2}$

(2) $5\sqrt{7}+3\sqrt{7}$

(3) $2\sqrt{6}+3\sqrt{6}-\sqrt{6}$

(4) $\dfrac{\sqrt{5}}{2}-\dfrac{\sqrt{5}}{3}$

풀이 (1) $3\sqrt{2}+6\sqrt{2}=(3+\boxed{})\sqrt{2}=\boxed{}$

(2) $5\sqrt{7}+3\sqrt{7}=(5+\boxed{})\sqrt{7}=\boxed{}$

(3) $2\sqrt{6}+3\sqrt{6}-\sqrt{6}=(2+3-\boxed{})\sqrt{6}=\boxed{}$

(4) $\dfrac{\sqrt{5}}{2}-\dfrac{\sqrt{5}}{3}=\left(\dfrac{1}{2}-\boxed{}\right)\sqrt{5}=\boxed{}$

근호 안의 수가 같은 것을 다항식의 동류항과 같이 생각한다.

30 Ⅰ. 실수와 제곱근

$\boxed{02}$ 다음을 계산하여라.

(1) $\sqrt{32}+3\sqrt{2}$ (2) $\sqrt{75}-4\sqrt{3}$

풀이 (1) $\sqrt{32}+3\sqrt{2}=\sqrt{\boxed{}\times2}+3\sqrt{2}$

$\qquad\qquad\qquad=\boxed{}\sqrt{2}+3\sqrt{2}$

$\qquad\qquad\qquad=\boxed{}$

(2) $\sqrt{75}-4\sqrt{3}=\sqrt{\boxed{}\times3}-4\sqrt{3}$

$\qquad\qquad\qquad=\boxed{}\sqrt{3}-4\sqrt{3}$

$\qquad\qquad\qquad=\boxed{}$

$\boxed{03}$ 다음 식을 간단히 하여라.

(1) $\sqrt{5}(\sqrt{3}+\sqrt{5})$ (2) $(\sqrt{30}-\sqrt{12})\div\sqrt{3}$

풀이 (1) $\sqrt{5}(\sqrt{3}+\sqrt{5})=\boxed{}\times\sqrt{3}+\sqrt{5}\times\boxed{}$

$\qquad\qquad\qquad\quad=\boxed{}+5$

(2) $(\sqrt{30}-\sqrt{12})\div\sqrt{3}=(\sqrt{30}-\sqrt{12})\times\boxed{}$

$\qquad\qquad\qquad\qquad\quad=\dfrac{\sqrt{30}}{\boxed{}}-\dfrac{\sqrt{12}}{\boxed{}}$

$\qquad\qquad\qquad\qquad\quad=\boxed{}-\sqrt{4}$

$\qquad\qquad\qquad\qquad\quad=\boxed{}-2$

근호가 있는 식의 분배법칙

$a>0, b>0, c>0$일 때

① $\sqrt{a}(\sqrt{b}+\sqrt{c})$
$\quad=\sqrt{a}\sqrt{b}+\sqrt{a}\sqrt{c}$

② $(\sqrt{a}+\sqrt{b})\sqrt{c}$
$\quad=\sqrt{a}\sqrt{c}+\sqrt{b}\sqrt{c}$

$\boxed{04}$ $\sqrt{6}\times\sqrt{3}-3\div\sqrt{2}$ 를 간단히 하여라.

풀이 $\sqrt{6}\times\sqrt{3}-3\div\sqrt{2}=\boxed{}-3\times\boxed{}=\sqrt{\boxed{}\times2}-\boxed{}$

$\qquad\qquad\qquad\qquad=\boxed{}-\dfrac{3\times\sqrt{2}}{\sqrt{2}\times\sqrt{2}}=\boxed{}-\boxed{}$

$\qquad\qquad\qquad\qquad=\left(\boxed{}-\boxed{}\right)\sqrt{2}$

$\qquad\qquad\qquad\qquad=\boxed{}\sqrt{2}$

오개념 진단

다음은 틀리기 쉬운 것이므로 유의한다.

$\sqrt{2}+\sqrt{3}\neq\sqrt{2+3}=\sqrt{5},\ 3\sqrt{2}-\sqrt{2}\neq3,\ \sqrt{4}+\sqrt{9}\neq\sqrt{4+9}=\sqrt{13},\ \sqrt{4+9}\neq2+3=5$

어떤 교과서에나 나오는 문제

중요도 ☐ 손도 못댐 ☐ 과정 실수 ☐ 틀린 이유:

01 $\sqrt{50}+\sqrt{32}-3\sqrt{2}=a\sqrt{2}$일 때, a의 값은?

① 5   ② 6   ③ 7
④ 8   ⑤ 9

중요도 ☐ 손도 못댐 ☐ 과정 실수 ☐ 틀린 이유:

02 다음 중 계산 결과가 옳은 것은?

① $3\sqrt{7}-\sqrt{7}=3\sqrt{7}$
② $\sqrt{18}-\sqrt{8}=\sqrt{10}$
③ $2\sqrt{3}+5\sqrt{3}=7\sqrt{6}$
④ $\dfrac{\sqrt{5}}{2}+\dfrac{5}{\sqrt{5}}=\dfrac{3\sqrt{5}}{2}$
⑤ $\sqrt{10}+2\sqrt{10}-3\sqrt{10}=-\sqrt{10}$

중요도 ☐ 손도 못댐 ☐ 과정 실수 ☐ 틀린 이유:

03 $\sqrt{27}+2\sqrt{24}-3\sqrt{12}+5\sqrt{6}=a\sqrt{3}+b\sqrt{6}$일 때, $a+b$의 값은?

① 3   ② 4   ③ 5
④ 6   ⑤ 7

중요도 ☐ 손도 못댐 ☐ 과정 실수 ☐ 틀린 이유:

04 $(\sqrt{2}-3\sqrt{10})-(\sqrt{50}-\sqrt{40})$을 간단히 한 것은?

① $-4\sqrt{2}-\sqrt{10}$ ② $-4\sqrt{2}+\sqrt{10}$
③ $-5\sqrt{2}-\sqrt{10}$ ④ $-5\sqrt{2}+\sqrt{10}$
⑤ $-5\sqrt{2}-2\sqrt{5}$

• 정답 및 풀이 7쪽

중요도 ☐ 손도 못댐 ☐ 과정 실수 ☐ 틀린 이유:

05 $(a-3\sqrt{2})(3+2\sqrt{2})=b\sqrt{2}+3\sqrt{2}$를 만족하는 유리수 a, b에 대하여 $a+b$의 값을 구하여라.

중요도 ☐ 손도 못댐 ☐ 과정 실수 ☐ 틀린 이유:

06 $A=3\sqrt{5}-2\sqrt{3}$, $B=\sqrt{5}+\sqrt{3}$일 때, $A+2B$의 값을 구하여라.

중요도 ☐ 손도 못댐 ☐ 과정 실수 ☐ 틀린 이유:

07 $\sqrt{2}(4\sqrt{2}-5)-a(2-\sqrt{2})$가 유리수가 되도록 하는 유리수 a의 값은?

① -15 ② -10 ③ -5
④ 5 ⑤ 15

중요도 ☐ 손도 못댐 ☐ 과정 실수 ☐ 틀린 이유:

08 밑면의 가로의 길이가 $3\sqrt{2}$ cm, 세로의 길이가 $\sqrt{32}$ cm 이고, 높이가 $\sqrt{50}$ cm인 직육면체의 모든 모서리의 길이의 합을 구하여라.

04 제곱근의 덧셈과 뺄셈

시험에 꼭 나오는 문제

중요도 ☐ 손도 못댐 ☐ 과정 실수 ☐ 틀린 이유:

1 다음 중 옳지 <u>않은</u> 것은?

① $4\sqrt{5}+\sqrt{5}=5\sqrt{5}$ 　② $\sqrt{8}-\sqrt{2}=\sqrt{6}$

③ $\sqrt{24}+\sqrt{6}=3\sqrt{6}$ 　④ $\sqrt{27}-\sqrt{3}=2\sqrt{3}$

⑤ $3\sqrt{7}-4\sqrt{7}+\sqrt{7}=0$

중요도 ☐ 손도 못댐 ☐ 과정 실수 ☐ 틀린 이유:

2 두 수 A, B가 $A=\sqrt{2}\times\sqrt{3}\times\sqrt{4}$, $B=\sqrt{8}\times\sqrt{12}$일 때, $A+B$의 값은?

① $4\sqrt{6}$ 　② $6\sqrt{6}$ 　③ $8\sqrt{6}$

④ $12\sqrt{6}$ 　⑤ $20\sqrt{6}$

중요도 ☐ 손도 못댐 ☐ 과정 실수 ☐ 틀린 이유:

3 $a>0$, $b>0$이고 $ab=48$일 때, $a\sqrt{\dfrac{12b}{a}}+b\sqrt{\dfrac{3a}{b}}$값은?

① $12\sqrt{3}$ 　② $15\sqrt{3}$ 　③ $24\sqrt{3}$

④ 24 　⑤ 36

중요도 ☐ 손도 못댐 ☐ 과정 실수 ☐ 틀린 이유:

4 $2\sqrt{3}+\sqrt{45}-2\sqrt{48}+2\sqrt{5}=a\sqrt{3}+b\sqrt{5}$일 때, 유리수 a, b에 대하여 $a+b$의 값은?

① -2 　② -1 　③ 0

④ 1 　⑤ 2

중요도 ☐ 손도 못댐 ☐ 과정 실수 ☐ 틀린 이유:

5 $\sqrt{2}(2-\sqrt{12})+\sqrt{3}(\sqrt{2}-\sqrt{6})$을 간단히 하여라.

중요도 ☐ 손도 못댐 ☐ 과정 실수 ☐ 틀린 이유:

6 $A=\sqrt{2}+5\sqrt{3}$, $B=3\sqrt{2}-\sqrt{3}$일 때, $\sqrt{2}A+\sqrt{3}B$
의 값은?

① $8\sqrt{3}$ ② $8\sqrt{6}-1$ ③ $8\sqrt{6}+1$
④ $10\sqrt{2}-1$ ⑤ $10\sqrt{2}+1$

중요도 ☐ 손도 못댐 ☐ 과정 실수 ☐ 틀린 이유:

7 $\sqrt{2k}-3\sqrt{2}=\sqrt{k-3}$을 만족하는 유리수 k의 값은?

① 6   ② 7   ③ 8
④ 9   ⑤ 10

중요도 ☐ 손도 못댐 ☐ 과정 실수 ☐ 틀린 이유:

8 오른쪽 그림과 같은 직육면체
의 겉넓이를 구하여라.

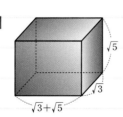

중요도 ☐ 손도 못댐 ☐ 과정 실수 ☐ 틀린 이유:

9 $a = 3\sqrt{2} + \dfrac{7\sqrt{3}}{2}$, $b = \sqrt{2} + \dfrac{\sqrt{3}}{2}$ 일 때,

$\sqrt{3}(a - 2b) - 2\sqrt{2}b$의 값은?

① $\dfrac{5}{2}$ ② 3 ③ $\dfrac{7}{2}$

④ 4 ⑤ $\dfrac{9}{2}$

중요도 ☐ 손도 못댐 ☐ 과정 실수 ☐ 틀린 이유:

10 $\sqrt{24}\left(\dfrac{1}{\sqrt{3}} - \sqrt{6}\right) - \dfrac{a}{\sqrt{2}}(\sqrt{32} - 2)$가 유리수가 되도

록 하는 유리수 a의 값은?

① -1 ② -2 ③ -3

④ -4 ⑤ -5

중요도 ☐ 손도 못댐 ☐ 과정 실수 ☐ 틀린 이유:

11 $\sqrt{(3\sqrt{2} - 4)^2} + \sqrt{(4\sqrt{2} - 6)^2}$ 을 간단히 하면?

① $-\sqrt{2} - 10$ ② $\sqrt{2} - 10$ ③ $-7\sqrt{2} + 2$

④ $7\sqrt{2} - 10$ ⑤ $-\sqrt{2} + 2$

중요도 ☐ 손도 못댐 ☐ 과정 실수 ☐ 틀린 이유:

12 제곱근 표에서 $\sqrt{3.7} = 1.924$이고 $\sqrt{37} = 6.083$이라

고 할 때, $\sqrt{0.0037}$의 값을 구하여라.

중요도 ☐ 손도 못댐 ☐ 과정 실수 ☐ 틀린 이유:

13
$\sqrt{2}+1$의 정수 부분을 a, 소수 부분을 b라고 할 때, $\sqrt{2}a-b$의 값을 구하여라.

중요도 ☐ 손도 못댐 ☐ 과정 실수 ☐ 틀린 이유:

14
그림과 같이 윗변, 아랫변의 길이가 각각 $\sqrt{12}$, $\sqrt{24}$이고, 높이가 $\sqrt{6}$인 사다리꼴의 넓이를 구하여라.

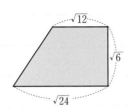

중요도 ☐ 손도 못댐 ☐ 과정 실수 ☐ 틀린 이유:

15
$\sqrt{3.2}=a$, $\sqrt{32}=b$일 때, 다음 중 옳지 <u>않은</u> 것은?

① $\sqrt{320}=10a$ ② $\sqrt{3200}=10b$

③ $\sqrt{32000}=100b$ ④ $\sqrt{0.32}=0.1b$

⑤ $\sqrt{0.032}=0.1a$

중요도 ☐ 손도 못댐 ☐ 과정 실수 ☐ 틀린 이유:

16
다음 중 제곱근 표에서 $\sqrt{5}=2.236$임을 이용하여 제곱근의 값을 계산할 수 없는 것은? (정답 2개)

① $\sqrt{20000}$ ② $\sqrt{2000}$ ③ $\sqrt{0.2}$

④ $\sqrt{0.8}$ ⑤ $\sqrt{2.5}$

단원종합문제 [01~04]

01 중요도 ☐ 손도 못댐 ☐ 과정 실수 ☐ 틀린 이유:

다음 중 옳은 것은?

① $(-4)^2$의 제곱근은 ± 4이다.
② $\sqrt{(-6)^2}$은 -6이다.
③ $\sqrt{9}$의 제곱근은 ± 3이다.
④ $\sqrt{0.\dot{1}}$은 $\pm\dfrac{1}{3}$이다.
⑤ 0의 제곱근은 없다.

02 중요도 ☐ 손도 못댐 ☐ 과정 실수 ☐ 틀린 이유:

$\sqrt{16}$의 양의 제곱근을 A, $(-3)^2$의 음의 제곱근을 B라 할 때, $A+B$의 값은?

① -5　　　② -1　　　③ 1
④ 5　　　⑤ 7

03 중요도 ☐ 손도 못댐 ☐ 과정 실수 ☐ 틀린 이유:

다음 중 옳은 것은?

① $\sqrt{(-3)^4}=9$　　② $\sqrt{(-2)^2}=-2$　　③ $\sqrt{169}=17$
④ $(-\sqrt{25})^2=5$　　⑤ $\sqrt{\left(-\dfrac{3}{4}\right)^2}=\dfrac{3}{2}$

04 중요도 ☐ 손도 못댐 ☐ 과정 실수 ☐ 틀린 이유:

다음 중 그 값이 나머지 넷과 <u>다른</u> 하나는?

① $(-3)^2$의 제곱근
② 9의 제곱근
③ 제곱해서 9가 되는 수
④ 제곱근 9
⑤ $\sqrt{81}$의 제곱근

05 중요도 ☐ 손도 못댐 ☐ 과정 실수 ☐ 틀린 이유:

$a<0$일 때, $-\sqrt{a^2}+\sqrt{(-3a)^2}$을 간단히 하면?

① $-2a$　　　② $-a$　　　③ 0
④ a　　　⑤ $2a$

06 중요도 ☐ 손도 못댐 ☐ 과정 실수 ☐ 틀린 이유:

n이 두 자리 자연수일 때, $\sqrt{\dfrac{1800}{n}}$이 자연수가 되도록 하는 자연수 n의 개수는?

① 3개　　　② 4개　　　③ 5개
④ 6개　　　⑤ 7개

07
중요도 ☐ 손도 못댐 ☐ 과정 실수 ☐ 틀린 이유:

$2<\sqrt{4n-1}<4$를 만족하는 모든 자연수 n의 값의 합은?

① 6   ② 7   ③ 8

④ 9   ⑤ 10

08
중요도 ☐ 손도 못댐 ☐ 과정 실수 ☐ 틀린 이유:

다음 설명 중 옳지 <u>않은</u> 것은? (정답 2개)

① 모든 순환소수는 무리수이다.
② 무한소수 중에는 유리수도 있다.
③ 무리수는 근호를 써서 나타낸 수를 말한다.
④ 무리수인 유리수는 없다.
⑤ 유리수와 무리수를 통틀어 실수라고 한다.

09
중요도 ☐ 손도 못댐 ☐ 과정 실수 ☐ 틀린 이유:

다음 중 무리수가 <u>아닌</u> 것은?

① $\dfrac{\pi}{100}$ ② $\sqrt{0.4}$ ③ $-\sqrt{\dfrac{6}{9}}$

④ $\sqrt{8}-\sqrt{4}$ ⑤ $-\sqrt{0.\dot{4}}$

10
중요도 ☐ 손도 못댐 ☐ 과정 실수 ☐ 틀린 이유:

다음 그림에 대한 설명 중 옳은 것은? (단, 모눈 한 칸은 한 변의 길이가 1인 정사각형이다.)

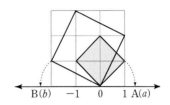

① A의 좌표는 $\mathrm{A}(\sqrt{3})$이다.
② B의 좌표는 $\mathrm{B}(-\sqrt{6})$이다.
③ a와 b 사이에는 유리수가 4개 있다.
④ a와 b 사이에는 무리수가 무수히 많다.
⑤ $ab=2\sqrt{3}$

11
중요도 ☐ 손도 못댐 ☐ 과정 실수 ☐ 틀린 이유:

다음 중 두 수의 대소 관계가 옳은 것은?

① $\sqrt{7}-1>3$
② $\sqrt{5}+1<\sqrt{3}+1$
③ $\sqrt{2}-1<1$
④ $3-\sqrt{2}<3-\sqrt{3}$
⑤ $\sqrt{6}+\sqrt{5}>\sqrt{7}+\sqrt{5}$

12
중요도 ☐ 손도 못댐 ☐ 과정 실수 ☐ 틀린 이유:

두 정사각형 A, B가 있다. A의 넓이가 B의 넓이의 5배일 때, A의 한 변의 길이는 B의 한 변의 길이의 몇 배인가?

① 1배   ② $\sqrt{2}$배   ③ 2배

④ $\sqrt{5}$배   ⑤ 3배

13

중요도 ☐ 손도 못댐 ☐ 과정 실수 ☐ 틀린 이유:

예림이는 한 변의 길이가 각각 $3\,m$, $6\,m$인 정사각형 모양의 두 꽃밭과 넓이가 같은 하나의 정사각형 모양의 꽃밭을 만들려고 한다. 이때 새로 만든 꽃밭의 한 변의 길이는?

① $3\sqrt{2}\,m$ ② $3\sqrt{5}\,m$ ③ $5\sqrt{3}\,m$
④ $3\,m$ ⑤ $3\sqrt{6}\,m$

14

중요도 ☐ 손도 못댐 ☐ 과정 실수 ☐ 틀린 이유:

$\sqrt{2}$의 소수 부분을 a라 할 때, $\sqrt{162}$를 a로 나타내면?

① $9(a+1)$ ② $9a$ ③ $9a-1$
④ $-9a-1$ ⑤ $-9(a-1)$

15

중요도 ☐ 손도 못댐 ☐ 과정 실수 ☐ 틀린 이유:

$\sqrt{48}-(-\sqrt{5})^2-\dfrac{9}{\sqrt{3}}$를 간단히 하면?

① $\sqrt{3}-5$ ② $\sqrt{3}+5$
③ $\sqrt{3}-\sqrt{5}$ ④ $3\sqrt{3}-\sqrt{5}$
⑤ $-5\sqrt{3}+\sqrt{5}$

16

중요도 ☐ 손도 못댐 ☐ 과정 실수 ☐ 틀린 이유:

$\sqrt{\dfrac{27}{80}}=\dfrac{a\sqrt{3}}{b\sqrt{5}}=c\sqrt{15}$일 때, $a\div b\div c$의 값을 구하면?
(단, a, b, c는 모두 유리수)

① -5 ② -3 ③ 1
④ 3 ⑤ 5

17

중요도 ☐ 손도 못댐 ☐ 과정 실수 ☐ 틀린 이유:

$\sqrt{1.1}=1.049$, $\sqrt{11}=3.317$일 때, 다음 중 옳지 <u>않은</u> 것은?

① $\sqrt{110}=10.49$ ② $\sqrt{0.11}=0.3317$
③ $\sqrt{1100}=33.17$ ④ $\sqrt{11000}=331.7$
⑤ $\sqrt{0.011}=0.1049$

18

중요도 ☐ 손도 못댐 ☐ 과정 실수 ☐ 틀린 이유:

$\sqrt{2}(a-\sqrt{2})-2(3a-5\sqrt{2})$가 유리수가 되도록 하는 유리수 a의 값은?

① -10 ② -5 ③ 0
④ 5 ⑤ 10

• 정답 및 풀이 8쪽

19 중요도 ☐ 손도 못댐 ☐ 과정 실수 ☐ 틀린 이유:

$xy=8$일 때, $x\sqrt{\dfrac{8y}{x}}+y\sqrt{\dfrac{2x}{y}}$ 의 값을 구하여라.

20 중요도 ☐ 손도 못댐 ☐ 과정 실수 ☐ 틀린 이유:

다음 그림에서 삼각형의 넓이와 직사각형의 넓이가 서로 같을 때, 직사각형의 가로의 길이를 구하여라.

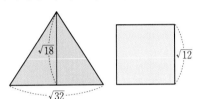

21 📗서술형 중요도 ☐ 손도 못댐 ☐ 과정 실수 ☐ 틀린 이유:

$\sqrt{2}$의 소수 부분을 a, $3\sqrt{2}$의 소수 부분을 b라고 할 때, $b-a$의 값을 구하여라.

22 📗서술형 중요도 ☐ 손도 못댐 ☐ 과정 실수 ☐ 틀린 이유:

오른쪽 그림의 사다리꼴에서 색칠한 부분의 넓이를 구하여라.

23 중요도 ☐ 손도 못댐 ☐ 과정 실수 ☐ 틀린 이유:

$a=4\sqrt{3}+2$, $b=1-\sqrt{3}$일 때, $\sqrt{3}a-\dfrac{3b}{\sqrt{3}}$의 값을 구하여라.

24 중요도 ☐ 손도 못댐 ☐ 과정 실수 ☐ 틀린 이유:

오른쪽 그림에서 $\overline{AD}=\sqrt{3}$, $\overline{AB}=3$이고 □AEFD와 □EBGH가 정사각형일 때, □HGCF의 넓이를 구하여라.

05 곱셈 공식

학습목표 · 곱셈 공식을 이해하고, 식을 전개할 수 있다.
· 곱셈공식을 이용하여 분모를 유리화할 수 있다.

기본 체크

01

다음 식을 전개 하여라.

(1) $(x+1)^2$

(2) $(x-2)^2$

(3) $(x+1)(x-1)$

(4) $(x-2)(x+1)$

(5) $(2x+1)(x+1)$

02

다음을 계산하여라.

(1) $(\sqrt{2}+1)(\sqrt{2}-1)$

(2) $(2-\sqrt{6})(2+\sqrt{6})$

핵심 정리

곱셈 공식

① $(a+b)^2=a^2+2ab+b^2$

② $(a-b)^2=a^2-2ab+b^2$

③ $(a+b)(a-b)=a^2-b^2$

④ $(x+a)(x+b)=x^2+(a+b)x+ab$

⑤ $(ax+b)(cx+d)=acx^2+(ad+bc)x+bd$

참고 곱셈 공식의 변형

(1) $a^2+b^2=(a+b)^2-2ab=(a-b)^2+2ab$

(2) $(a+b)^2=(a-b)^2+4ab$, $(a-b)^2=(a+b)^2-4ab$

(3) $a^2+\dfrac{1}{a^2}=\left(a+\dfrac{1}{a}\right)^2-2=\left(a-\dfrac{1}{a}\right)^2+2$

(4) $\left(a+\dfrac{1}{a}\right)^2=\left(a-\dfrac{1}{a}\right)^2+4$, $\left(a-\dfrac{1}{a}\right)^2=\left(a+\dfrac{1}{a}\right)^2-4$

곱셈공식을 이용한 분모의 유리화

$$\cdot \frac{\sqrt{a}-\sqrt{b}}{\sqrt{a}+\sqrt{b}}=\frac{(\sqrt{a}-\sqrt{b})^2}{(\sqrt{a}+\sqrt{b})(\sqrt{a}-\sqrt{b})}$$

$$=\frac{a-2\sqrt{ab}+b}{a-b}$$

곱셈공식
$(a+b)(a-b)=a^2-b^2$
을 이용한다.

대표예제

· 정답 및 풀이 10쪽

01 다음 식을 전개하여라.

(1) $(2a+3b)^2$

(2) $(3x-y)^2$

풀이 (1) $(2a+3b)^2=(2a)^2+\boxed{}\times 2a\times 3b+(3b)^2=\boxed{}$

(2) $(3x-y)^2=(3x)^2-\boxed{}\times 3x\times y+y^2=\boxed{}$

02 다음 식을 전개하여라.

(1) $(x+2)(x+3)$　　　　(2) $(x-2)(x+3)$

(3) $(x-1)(x+6)$　　　　(4) $(a-3)(a-5)$

풀이 (1) $(x+2)(x+3)=x^2+(\boxed{}+3)x+2\times\boxed{}=\boxed{}$

(2) $(x-2)(x+3)=x^2+\{\boxed{}+3\}x+\boxed{}\times 3=\boxed{}$

(3) $(x-1)(x+6)=x^2+\{(\boxed{})+6\}x+(\boxed{})\times 6=\boxed{}$

(4) $(a-3)(a-5)=a^2+\{(-3)+(\boxed{})\}a+(-3)\times(\boxed{})=\boxed{}$

03 다음 식을 전개하여라.

(1) $(2x+1)(3x+2)$　　　　(2) $(2x+y)(3x-2y)$

풀이 (1) $(2x+1)(3x+2)=(\boxed{})x^2+(2\times\boxed{}+1\times\boxed{})x+\boxed{}$

　　　　　　　　　　　$=\boxed{}$

(2) $(2x+y)(3x-2y)=(\boxed{})x^2+\{2\times(\boxed{})+1\times\boxed{}\}xy+\{\boxed{}\}y^2$

　　　　　　　　　　　$=\boxed{}$

04 곱셈공식을 이용하여 다음을 계산하여라.

(1) $(\sqrt{2}+1)^2$　　　　　　(2) $(2\sqrt{3}-1)^2$

(3) $(\sqrt{3}+1)(\sqrt{3}-1)$　　　　(4) $(-2+\sqrt{3})(2-\sqrt{3})$

풀이 (1) $(\sqrt{2}+1)^2=(\sqrt{2})^2+2\times\boxed{}\times\boxed{}+1^2=\boxed{}$

(2) $(2\sqrt{3}-1)^2=(2\sqrt{3})^2-2\times\boxed{}\times\boxed{}+1^2=\boxed{}$

(3) $(\sqrt{3}+1)(\sqrt{3}-1)=\boxed{}^2-\boxed{}^2=\boxed{}$

(4) $(-2+\sqrt{3})(2-\sqrt{3})=-(2-\boxed{})(2-\sqrt{3})=-(2-\boxed{})^2=-(\boxed{}-\boxed{})$

　　　　　　　　　　　$=\boxed{}$

05 다음 수의 분모를 유리화하여라.

(1) $\dfrac{1}{2+\sqrt{3}}$　　　　　　(2) $\dfrac{1}{\sqrt{5}+\sqrt{3}}$

풀이 (1) 분모와 분자에 $\boxed{}$을 각각 곱하면

$$\frac{1}{2+\sqrt{3}}=\frac{\boxed{}}{(2+\sqrt{3})(\boxed{})}=\frac{\boxed{}}{2^2-\boxed{}}=\frac{\boxed{}}{\boxed{}-\boxed{}}=\boxed{}$$

(2) 분모와 분자에 $\boxed{}$을 각각 곱하면

$$\frac{1}{\sqrt{5}+\sqrt{3}}=\frac{\boxed{}}{(\sqrt{5}+\sqrt{3})(\boxed{})}$$

$$=\frac{\boxed{}}{(\sqrt{5})^2-(\sqrt{3})^2}=\frac{\boxed{}}{5-3}=\boxed{}$$

> 분모가 2개의 항으로 되어 있는 무리수일 때, 곱셈 공식 $(a+b)(a-b)=a^2-b^2$을 이용하여 분모를 유리화한다.

🐀 **일의 자리의 숫자가 5인 수의 제곱**

일의 자리의 수가 5인 수를 $10a+5$로 나타내어 제곱하여 보면
$(10a+5)^2=100a^2+100a+25=100a(a+1)+25$가 된다. 즉,
$15\times15=(1\times2)\times100+25=225,\ 25\times25=(2\times3)\times100+25=625,$
$35\times35=(3\times4)\times100+25=1225,\cdots$

어떤 교과서에나 나오는 문제

---

01 중요도 □ 손도 못댐 □ 과정 실수 □ 틀린 이유:

$(x+A)^2 = x^2+8x+B$일 때, $A+B$의 값은?

① 12   ② 20   ③ 24

④ 68   ⑤ 72

---

02 중요도 □ 손도 못댐 □ 과정 실수 □ 틀린 이유:

$(a+b)^2-(a-b)^2$을 간단히 하면?

① $-4ab$ ② $2ab$

③ $4ab$ ④ $2(a^2-b^2)$

⑤ $2(a^2+b^2)$

---

03 중요도 □ 손도 못댐 □ 과정 실수 □ 틀린 이유:

$(x-3)(x-a)=x^2-bx+15$일 때, 상수 a, b의 값은?

① $a=-5$, $b=2$ ② $a=-5$, $b=8$

③ $a=5$, $b=-2$ ④ $a=5$, $b=2$

⑤ $a=5$, $b=8$

---

04 중요도 □ 손도 못댐 □ 과정 실수 □ 틀린 이유:

다음 중 옳지 <u>않은</u> 것은?

① $(a+4)^2=a^2+8a+16$

② $(a-2)^2=a^2-2a+4$

③ $(a+3)(a-3)=a^2-9$

④ $(a+1)(a+2)=a^2+3a+2$

⑤ $(2a-3)(a+2)=2a^2+a-6$

중요도 ☐ 손도 못댐 ☐ 과정 실수 ☐ 틀린 이유:

05 $(3x+a)(x-2)$의 전개식에서 x의 계수가 -1일 때, 상수 a의 값은?

① -5 ② -1 ③ 1
④ 3 ⑤ 5

중요도 ☐ 손도 못댐 ☐ 과정 실수 ☐ 틀린 이유:

06 $(3-1)(3+1)(3^2+1)(3^4+1)$의 값은?

① 3^8-1 ② 3^8+1
③ 2×3^8 ④ $2(3^8-1)$
⑤ 3^9-1

중요도 ☐ 손도 못댐 ☐ 과정 실수 ☐ 틀린 이유:

07 $(2x-y+4)(2x-y-4)$를 전개하면?

① $4x^2+2xy+2y^2-4$
② $4x^2-2xy+y^2+4$
③ $4x^2+4xy+y^2+8$
④ $4x^2-4xy+y^2-16$
⑤ $4x^2-4xy+y^2+16$

중요도 ☐ 손도 못댐 ☐ 과정 실수 ☐ 틀린 이유:

08 $(ax+2b)^2$을 전개한 식에서 x^2의 계수가 16이고 상수항이 $\frac{1}{4}$일 때, x의 계수는? (단, $a>0$, $b<0$)

① -8 ② 8 ③ 2
④ -4 ⑤ 20

시험에 꼭 나오는 문제

1 다음 식을 전개한 것 중 옳지 <u>않은</u> 것은?

① $(a+5)^2 = a^2 + 10a + 25$

② $(a-2b)^2 = a^2 - 4ab + 4b^2$

③ $(a+6)(a-6) = a^2 - 36$

④ $(a+3)(a-7) = a^2 - 4a - 21$

⑤ $(3a-1)(2a-5) = 6a^2 - 13a + 5$

2 $(3x+a)^2 = 9x^2 + (b+5)x + 25$일 때, 상수 a, b에 대하여 $a+b$의 값은? (단, $a>0$)

① 15　　　② 20　　　③ 25

④ 30　　　⑤ 35

3 $(x-y)^2 - (x+y)^2$을 전개하여 간단히 하면?

① $-4xy$　　② $-2xy$　　③ 0

④ $2xy$　　⑤ $4xy$

4 다음 중 $(-x+2y)^2$과 전개식이 같은 것은?

① $-(x-2y)^2$　　　② $-(x+2y)^2$

③ $(-x-2y)^2$　　　④ $(x-2y)^2$

⑤ $(x+2y)^2$

5 $x^2=9$, $y^2=25$일 때, $\left(\dfrac{1}{3}x+\dfrac{2}{5}y\right)\left(\dfrac{1}{3}x-\dfrac{2}{5}y\right)$의 값은?

중요도 ☐ 손도 못댐 ☐ 과정 실수 ☐ 틀린 이유:

① -5　　② -3　　③ -1
④ 1　　⑤ 3

6 $(x+3)(x-3)-(x-3)^2$을 간단히 하였을 때, x의 계수와 상수항의 합은?

중요도 ☐ 손도 못댐 ☐ 과정 실수 ☐ 틀린 이유:

① -12　　② -6　　③ 6
④ 18　　⑤ 24

7 다음 중 $(x+y)(x-y)$와 전개식이 같은 것은?

중요도 ☐ 손도 못댐 ☐ 과정 실수 ☐ 틀린 이유:

① $(x+y)(y-x)$　　② $(x+y)(-x-y)$
③ $(-x+y)(-x-y)$　④ $(-x+y)(x+y)$
⑤ $(x-y)(-x-y)$

8 $(2x-1)(5x+a)=10x^2+bx-3$에서 b의 값은? (단, a, b는 상수)

중요도 ☐ 손도 못댐 ☐ 과정 실수 ☐ 틀린 이유:

① -3　　② -1　　③ 1
④ 2　　⑤ 4

9 $(2x-a)(bx+3)$을 전개한 식이 $6x^2+cx-15$일 때, 상수 a, b, c의 합 $a+b+c$의 값은?

중요도 ☐ 손도 못댐 ☐ 과정 실수 ☐ 틀린 이유:

① -3　　② -1　　③ 1
④ 2　　⑤ 4

10 다음 수의 계산 중 곱셈 공식
$$(x+a)(x+b)=x^2+(a+b)x+ab$$
를 이용하면 가장 편리한 것은?

① 2003^2　　② 998^2　　③ 1001×999
④ 105×107　　⑤ 102×98

11 그림과 같이 정사각형을 네 부분
으로 나누었을 때, 색칠한 부분의
넓이는?

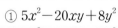

① $5x^2-20xy+8y^2$
② $5x^2-10xy+4y^2$
③ $25x^2-20xy+4y^2$
④ $25x^2-20xy+8y^2$
⑤ $25x^2-10xy+8y^2$

12 $a^2+b^2=45$, $a+b=7$일 때, ab의 값은?

① 1　　② 2　　③ 3
④ 4　　⑤ 5

13 $(2+1)(2^2+1)(2^4+1)(2^8+1)=2^a-1$일 때,
상수 a의 값은?

① 12　　② 14　　③ 16
④ 18　　⑤ 20

14 $(\sqrt{2}+3\sqrt{3})(3\sqrt{3}-2\sqrt{2})$가 $a+b\sqrt{b}$일 때, 유리수
a, b에 대하여 $\dfrac{a}{b}$값을 구하면?

① 21　　② -21　　③ $-\dfrac{23}{3}$
④ $\dfrac{23}{3}$　　⑤ 8

15 $\dfrac{2\sqrt{10}+\sqrt{3}}{2\sqrt{10}-\sqrt{3}}$ 의 분모를 유리화하면?

중요도 ☐ 손도 못댐 ☐ 과정 실수 ☐ 틀린 이유:

16 $\dfrac{5+\sqrt{3}}{\sqrt{3}-5}-\dfrac{5-\sqrt{3}}{\sqrt{3}+5}=a+b\sqrt{3}$ 일 때, 유리수 a, b에 대하여 $-a+b$의 값은?

중요도 ☐ 손도 못댐 ☐ 과정 실수 ☐ 틀린 이유:

17 $a-b=6$, $a^2+b^2=16$일 때, ab의 값은?
① 5   ② -5 ③ 10
④ -10 ⑤ 15

중요도 ☐ 손도 못댐 ☐ 과정 실수 ☐ 틀린 이유:

18 $\left(a-\dfrac{1}{a}\right)^2=6-\sqrt{5}$ 일 때, $a^2+\dfrac{1}{a^2}$의 값은?

06 다항식의 인수분해 (1)

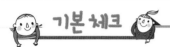 기본 체크

01

다음 식을 인수분해하여라.

(1) $(a+b)x+(a+b)y$

(2) $(x-2)y-(x-2)$

02

다음 식을 인수분해하여라.

(1) a^2+6a+9

(2) a^2-4a+4

(3) a^2-1

(4) a^2+3a+2

 핵심 정리

🌀 인수분해의 뜻

인수분해는 전개의 역 과정이다.

① 인수: 하나의 다항식을 두 개 이상의 다항식의 곱으로 나타낼 때, 각각의 식을 처음 식의 인수라고 한다.

② 인수분해: 하나의 다항식을 두 개 이상의 인수의 곱으로 나타내는 것

인수분해를 할 때는 먼저 공통인수를 찾는다.

🌀 인수분해 공식과 곱셈공식

곱셈공식	⟷	인수분해
$a^2+2ab+b^2$		$(a+b)^2$
$a^2-2ab+b^2$		$(a-b)^2$
a^2-b^2		$(a+b)(a-b)$
$x^2+(a+b)x+ab$		$(x+a)(x+b)$
$acx^2+(ad+bc)x+bd$		$(ax+b)(cx+d)$

🎈 대표예제

· 정답 및 풀이 12쪽

01 다음 식을 인수분해하여라.

(1) $ax+ay$　　　　　　　　(2) $3x^2-6xy$

풀이 (1) 두 항 ax와 ay에 공통으로 들어 있는 인수는 ☐이므로

$ax+ay=$☐$(x+y)$

(2) 두 항 $3x^2$과 $-6xy$에 공통으로 들어 있는 인수는 ☐이므로

$3x^2-6xy=$☐$(x-2y)$

> 인수분해할 때에는 공통인 인수가 남지 않도록 모두 묶어 낸다.

02 다음 식을 인수분해하여라.

(1) x^2+4x+4　　　　　　　(2) $x^2-6xy+9y^2$

풀이 (1) $x^2+4x+4=x^2+$☐$\times x\times 2+2^2=$☐

(2) $x^2-6xy+9y^2=x^2-$☐$\times x\times 3y+(3y)^2=$☐

> 완전제곱식 : 다항식의 제곱으로 된 식 또는 이 다항식에 상수를 곱한 식 즉 (다항식)^2, 상수×(다항식)^2

03 다음 식이 완전제곱식이 되도록 ◯ 안에 알맞은 수를 구하여라.

(1) $x^2+6x+◯$ (2) $x^2+◯x+49$

풀이 (1) $x^2+6x+◯=x^2+2\times x\times 3+◯$

$\therefore ◯=3^2=\boxed{}$

(2) $x^2+◯x+49=x^2+◯x+(\boxed{})^2$

$\therefore ◯=2\times(\boxed{})=\boxed{}$

> 완전제곱식이 될 조건 :
> $x^2+ax+\left(\dfrac{a}{2}\right)^2=\left(x+\dfrac{a}{2}\right)^2$
>
> x의 계수의 $\dfrac{1}{2}$의 제곱

04 다음 식을 인수분해하여라.

(1) a^2-4 (2) $4x^2-25y^2$

(3) a^2-7 (4) $16x^2-5y^2$

풀이 (1) $a^2-4=a^2-2^2=(a+\boxed{})(a-\boxed{})$

(2) $4x^2-25y^2=(\boxed{})^2-(\boxed{})^2=\boxed{}$

(3) $a^2-7=(a+\boxed{})(a-\boxed{})$

(4) $16x^2-5y^2=(4x+\boxed{}y)(4x-\boxed{}y)$

> $acx^2+(ad+bc)x+bd$의 인수분해
> $x^2 + 5x + 6$
> $x \diagdown 2 \rightarrow 2x$
> $x \diagup 3 \rightarrow +\underline{) 3x}$
> $5x$
>
> | ① | ② | ③ |
> |---|---|---|
> | 곱해서 이차항이 되는 두 식을 세로로 나열 | 곱해서 상수항이 되는 두 정수를 세로로 나열 | 대각선 방향으로 곱하여 더한 값이 일차항이 되는 것을 찾는다! |

05 다음 식을 인수분해하여라.

(1) x^2+5x+6 (2) $x^2-3x-10$

풀이 (1) 곱이 $\boxed{}$ 인 두 정수는 표와 같이 4가지이다. 이 중에서 합이 $\boxed{}$ 인 것은 $\boxed{}$ 이므로, 주어진 식을 인수분해하면 $x^2+5x+6=\boxed{}$

곱이 $\boxed{}$ 인 두 정수	두 정수의 합
2, 3	5
-2, -3	-5
1, 6	7
-1, -6	-7

(2) 곱이 $\boxed{}$ 인 두 정수는 표와 같이 4가지이다. 이 중에서 합이 $\boxed{}$ 인 것은 $\boxed{}$ 이므로, 주어진 식을 인수분해하면

$x^2-3x-10=\boxed{}$

곱이 $\boxed{}$ 인 두 정수	두 정수의 합
1, -10	-9
-1, 10	9
2, -5	-3
-2, 5	3

인수

하나의 자연수를 자연수들의 곱으로 나타내었을 때, 곱해진 각 수를 원래 수의 약수 또는 인수라고 한다. 자연수 a, b, c에 대하여 $a=bc$일 때 b, c는 a의 약수 또는 인수이다. 예를 들어 $6=2\times3$이므로 2와 3은 6의 인수이다. 이와 마찬가지로 다항식에서도 하나의 다항식을 두 개 이상의 다항식의 곱으로 나타내었을 때, 각각의 식을 처음 다항식의 인수라고 한다.
예를 들어 $x^2-5x+6=(x-2)(x-3)$이므로 $x-2$, $x-3$은 다항식 x^2-5x+6의 인수이다.

어떤 교과서에나 나오는 문제

01 다음 중 다항식 $a^2b(a-1)$의 인수가 <u>아닌</u> 것은?

① ab ② a^2 ③ a^2b^2
④ $a(a-1)$ ⑤ $b(a-1)$

02 다음 중 인수분해한 것이 옳은 것은?

① $x^2+x=x(x+1)$
② $ax-ay=a(x+y)$
③ $4x^2-6x=2x(x-3)$
④ $-3x^2-6x=-3x(x+1)$
⑤ $x^2+xy+xz=x(1+y+z)$

03 다음 중 인수분해한 것이 옳지 <u>않은</u> 것은?

① $a^2-2a+1=(a-1)^2$
② $4x^2+4xy+y^2=(4x+y)^2$
③ $x^2-\dfrac{2}{3}x+\dfrac{1}{9}=\left(x-\dfrac{1}{3}\right)^2$
④ $9x^2-24x+16=(3x-4)^2$
⑤ $2a^2+12ab+18b^2=2(a+3b)^2$

04 다항식 $25x^2-Ax+4$가 $(5x-B)^2$으로 인수분해
될 때, $A+B$의 값은? (단, A, B는 양수)

① 12   ② 14   ③ 22
④ 24   ⑤ 32

중요도 ☐ 손도 못댐 ☐ 과정 실수 ☐ 틀린 이유:

05 다음 중 완전제곱식으로 나타낼 수 <u>없는</u> 식은?

① $9x^2-6x+1$　　② $x^2+14x+49$

③ $x^2+\dfrac{1}{4}x+\dfrac{1}{16}$　　④ $4a^2-20ab+25b^2$

⑤ $\dfrac{1}{9}x^2-2x+9$

중요도 ☐ 손도 못댐 ☐ 과정 실수 ☐ 틀린 이유:

06 이차식 $x^2+8x+k-10$이 완전제곱식이 될 때, 상수 k의 값을 구하여라.

중요도 ☐ 손도 못댐 ☐ 과정 실수 ☐ 틀린 이유:

07 다항식 $6x^2-7x-5=(2x+a)(3x+b)$일 때, 상수 a, b에 대하여 $a-b$의 값은?

① 4　　　② 5　　　③ 6
④ 7　　　⑤ 8

중요도 ☐ 손도 못댐 ☐ 과정 실수 ☐ 틀린 이유:

08 $-2<x<2$일 때, 다음 식을 간단히 하여라.

(1) $\sqrt{x^2+4x+4}$　　　(2) $\sqrt{x^2-4x+4}$

시험에 꼭 나오는 문제

중요도 ☐ 손도 못댐 ☐ 과정 실수 ☐ 틀린 이유:

1 $x^2 - Ax + 64 = (x - B)^2$일 때, 상수 A, B에 대하여 $A + B$의 값은? (단, A, B는 양수)

① 20   ② 22   ③ 24

④ 26   ⑤ 28

중요도 ☐ 손도 못댐 ☐ 과정 실수 ☐ 틀린 이유:

2 다음 중 완전제곱식으로 나타낼 수 <u>없는</u> 식은?

① $x^2 - x + \dfrac{1}{4}$ ② $3a^2 + 12a + 12$

③ $16x^2 - 8x + 1$ ④ $5y^2 + 10y + 5$

⑤ $x^2 + 8x + 8$

중요도 ☐ 손도 못댐 ☐ 과정 실수 ☐ 틀린 이유:

3 다음 중 $x^3 - x$의 인수가 <u>아닌</u> 것은?

① x ② $x - 1$ ③ $x + 1$

④ $x^2 - 1$ ⑤ $x^2 + 1$

중요도 ☐ 손도 못댐 ☐ 과정 실수 ☐ 틀린 이유:

4 $9x^2 + (k-1)x + 25$가 완전제곱식으로 인수분해되도록 하는 모든 상수 k의 값의 합은?

① 1   ② 2   ③ 3

④ 4   ⑤ 5

중요도 ☐ 손도 못댐 ☐ 과정 실수 ☐ 틀린 이유:

5 다항식 $x^2 - \dfrac{1}{9}y^2$을 인수분해하면?

① $\left(x - \dfrac{1}{3}y\right)^2$ ② $\left(x + \dfrac{1}{3}y\right)^2$

③ $\left(x - \dfrac{1}{3}y\right)\left(x + \dfrac{1}{3}y\right)$ ④ $\dfrac{1}{9}(x-y)(x+y)$

⑤ $(x-3y)(x+3y)$

중요도 ☐ 손도 못댐 ☐ 과정 실수 ☐ 틀린 이유:

6 정사각형 모양 액자의 넓이가 $4a^2 + 20ab + 25b^2$일 때, 이 액자의 둘레의 길이는? (단, $a>0$, $b>0$)

① $2a+5b$ ② $8a+20b$ ③ $8a+25b$

④ $10a+25b$ ⑤ $12a+30b$

중요도 ☐ 손도 못댐 ☐ 과정 실수 ☐ 틀린 이유:

7 다음 다항식을 인수분해했을 때, $2x+1$을 인수로 갖지 <u>않는</u> 것은?

① $2x^2 - 3x - 2$ ② $2x^2 - x - 1$

③ $4x^2 - 1$ ④ $6x^2 - 5x + 1$

⑤ $4x^2 + 4x + 1$

중요도 ☐ 손도 못댐 ☐ 과정 실수 ☐ 틀린 이유:

8 다음 중 인수분해한 것이 옳지 <u>않은</u> 것은?

① $x^2 + 18x + 81 = (x+9)^2$

② $16x^2 - x = (4x-1)(4x+1)$

③ $25a^2 - 9b^2 = (5a+3b)(5a-3b)$

④ $x^2 + 4x - 21 = (x-3)(x+7)$

⑤ $4x^2 - 4x - 15 = (2x+3)(2x-5)$

시험에 꼭 나오는 문제

중요도 ☐ 손도 못댐 ☐ 과정 실수 ☐ 틀린 이유:

9 $2x+3$이 $2x^2-ax-15$의 인수일 때, 상수 a의 값은?

① 5 　　　② 6 　　　③ 7
④ 8 　　　⑤ 9

중요도 ☐ 손도 못댐 ☐ 과정 실수 ☐ 틀린 이유:

10 $x^2+2x-24=(x+a)(x+b)$일 때, 상수 a, b에 대하여 $a-b$의 값은? (단, $a>b$)

① 6 　　　② 7 　　　③ 8
④ 9 　　　⑤ 10

중요도 ☐ 손도 못댐 ☐ 과정 실수 ☐ 틀린 이유:

11 $x^2-ax-18=(x-2)(x+b)$일 때, $a+b$의 값은? (단, a, b는 정수)

① 1 　　　② 2 　　　③ 3
④ 4 　　　⑤ 5

중요도 ☐ 손도 못댐 ☐ 과정 실수 ☐ 틀린 이유:

12 다음 중 $3x^2-10xy+3y^2$의 인수는?

① $x-y$ 　　　② $x+3y$ 　　　③ $x-3y$
④ $3x+y$ 　　　⑤ $3x-3y$

13 두 다항식 $3x^2-48$과 $2x^2+3x-20$의 공통인수는?

① $x-4$ ② $x+4$ ③ $x-2$

④ $x+2$ ⑤ $2x-5$

14 $4x^2+ax-15=(2x+b)(cx-3)$일 때, $a+b+c$의 값은? (단, a, b, c는 상수)

① 11   ② 12   ③ 13

④ 14   ⑤ 15

15 $2<x<3$일 때, $\sqrt{x^2-4x+4}+\sqrt{x^2-6x+9}$을 간단히 하면?

① -1 ② 1   ③ $2x-5$

④ $2x+1$ ⑤ $-2x+5$

16 $12x^2-8x-15$는 x의 계수가 자연수인 두 일차식의 곱으로 인수분해될 때, 두 일차식의 합은?

① $6x-2$ ② $6x+2$ ③ $8x-2$

④ $8x+2$ ⑤ $10x-2$

07 다항식의 인수분해 (2)

학습목표 · 복잡한 다항식을 인수분해할 수 있고, 인수분해 공식을 활용할 수 있다.

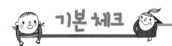

01

다음 식을 공통인수를 묶어내어 인수분해 하여라.

(1) $ax^2 + 3ax + 2a$

(2) $x(a-2b) + y(a-2b)$

(3) $abx^2 - 4ab$

02

인수분해공식을 이용하여 다음을 계산하 여라.

(1) $234 \times 26 - 234 \times 16$

(2) $95^2 - 5^2$

❊ 복잡한 식의 인수분해

① 공통인수로 묶어 낸 후 인수분해 공식을 이용하여 인수분해한다.

② 공통된 식을 찾아 한 문자로 치환한 후 인수분해한다. 이때 치환된 문자에 원래의 식을 대입하여 정리한다.
↳ 치환된 상태에서 인수분해를 끝내지 않도록 한다.

❊ 인수분해 공식의 활용

① 수의 계산: 복잡한 수를 계산할 때, 인수분해 공식을 이용하면 편리하다.

예 $19^2 - 1 = (19+1)(19-1) = 20 \times 18 = 360$

② 식의 값: 주어진 식을 인수분해한 후 문자의 값을 대입하여 식의 값을 구한다.

🎈 대표예제

· 정답 및 풀이 13쪽

01 다음 식을 인수분해하여라.

(1) $ax^2 - 4ax + 4a$

(2) $3mx^2 - 6mxy + 3my^2$

풀이 (1) 공통으로 들어 있는 인수 ☐ 로 묶어 내면

$ax^2 - 4ax + 4a = $ ☐ $(x^2 - 4x + 4) = $ ☐

(2) 공통으로 들어 있는 인수 ☐ 으로 묶어 내면

$3mx^2 - 6mxy + 3my^2 = $ ☐ $(x^2 - 2xy + y^2) = $ ☐

> 각 항에 공통으로 들어 있는 인 수가 있으면 먼저 그 인수로 묶 어 낸 다음 인수분해 공식을 이 용하여 인수분해한다.

02 다음 식을 치환을 이용하여 인수분해하여라.

(1) $x^2+2xy+y^2-4$ (2) $(x+1)^2-3(x+1)+2$

풀이 (1) $x^2+2xy+y^2-4=(\boxed{})^2-2^2$

$\boxed{}=t$로 치환하면

$(\boxed{})^2-2^2=\boxed{}-2^2=\boxed{}$

t 대신 $\boxed{}$를 대입하면

$\boxed{}=(x+y-2)\boxed{}$

(2) $\boxed{}=t$로 치환하면

$\boxed{}+2=\boxed{}$

t대신 $\boxed{}$을 대입하면

$\boxed{}=(x+1-1)\boxed{}=x(x-1)$

> 식의 일부를 완전제곱식으로 만들 수 있는지 살펴본다.
> $(x^2+2xy+y^2)$
> $=(x+y)^2$이므로
> $x+y$를 t로 치환할 수 있다.

03 인수분해 공식을 이용하여 다음을 계산하여라.

(1) 99^2-1 (2) $3\times12.5^2-3\times10.5^2$

풀이 (1) $99^2-1=(\boxed{})(99-1)$

$=\boxed{}\times98=\boxed{}$

(2) $3\times12.5^2-3\times10.5^2=\boxed{}\times(12.5^2-10.5^2)$

$=3(12.5+10.5)\boxed{}$

$=3\times23\times\boxed{}$

$=\boxed{}$

04 $x=2-\sqrt{3}$일 때, 인수분해를 이용하여 x^2-4x+4의 값을 구하여라.

풀이 x^2-4x+4를 인수분해하면

$x^2-4x+4=\boxed{}$

이 식에 $x=2-\sqrt{3}$을 대입하면

$\boxed{}=(2-\sqrt{3}-\boxed{})^2=(\boxed{})^2=\boxed{}$

> 처음부터 식에 x의 값을 대입하지 않고, 인수분해를 마친 뒤에 x의 값을 대입한다.

🐷 인수분해할 때 주의 사항

두 다항식에 공통으로 들어 있는 인수로 묶어내는 인수분해를 할 때에는 공통 인수가 남지 않도록 모두 묶어내야 한다. 예를 들어 다항식 $2x^2y+8xy$를 인수분해할 때, $2x^2y+8xy=2x(xy+4y)$ 또는 $2x^2y+8xy=xy(2x+8)$과 같이 오류를 범할 수 있다. 다항식 $2x^2y+8xy$에 공통으로 들어 있는 인수는 $2xy$이므로 다항식 $2x^2y+8xy$을 인수분해하면 $2x^2y+8xy=2xy(x+4)$가됨을 이해한다.

어떤 교과서에나 나오는 문제

중요도 ☐ 손도 못댐 ☐ 과정 실수 ☐ 틀린 이유:

01 다항식 $(a+2)x^2-5xy(a+2)-14y^2(a+2)$를
인수분해하여라.

중요도 ☐ 손도 못댐 ☐ 과정 실수 ☐ 틀린 이유:

02 다항식 $(2a+1)^2-(a-1)^2$을 인수분해하여라.

중요도 ☐ 손도 못댐 ☐ 과정 실수 ☐ 틀린 이유:

03 다항식 $xy-x-y+1$을 인수분해하면?

① $(x-1)(y-1)$ ② $(x-1)(y+1)$
③ $(x+1)(y-1)$ ④ $(x+1)(y+1)$
⑤ $-(x-1)(y-1)$

중요도 ☐ 손도 못댐 ☐ 과정 실수 ☐ 틀린 이유:

04 다항식 $x^2-6xy+9y^2-25$를 인수분해하여라.

• 정답 및 풀이 14쪽

중요도 ☐ 손도 못댐 ☐ 과정 실수 ☐ 틀린 이유:

05 $98^2 - 2^2$을 계산하려고 할 때, 다음 중 가장 편리한 인수분해 공식은?

① $a^2 + 2ab + b^2 = (a+b)^2$
② $a^2 - 2ab + b^2 = (a-b)^2$
③ $a^2 - b^2 = (a+b)(a-b)$
④ $x^2 + (a+b)x + ab = (x+a)(x+b)$
⑤ $acx^2 + (ad+bc)x + bd = (ax+b)(cx+d)$

중요도 ☐ 손도 못댐 ☐ 과정 실수 ☐ 틀린 이유:

06 $x=111$, $y=11$일 때, $x^2 - 2xy + y^2$의 값을 구하여라.

중요도 ☐ 손도 못댐 ☐ 과정 실수 ☐ 틀린 이유:

07 $a^2 - b^2 = 24$이고 $a-b=3$일 때, $a+b$의 값은?

① 4　　　② 5　　　③ 6
④ 7　　　⑤ 8

중요도 ☐ 손도 못댐 ☐ 과정 실수 ☐ 틀린 이유:

08 인수분해 공식을 이용하여 다음을 구하여라.

$$1^2 - 3^2 + 5^2 - 7^2 + 9^2 - 11^2$$

시험에 꼭 나오는 문제

1 $(2x-y)(2x-y+1)-12$을 인수분해하면?

① $(2x-y)(2x-y-12)$
② $(2x-y+3)(2x-y-4)$
③ $(2x-y-3)(2x-y+4)$
④ $(x-y-3)(x-y+4)$
⑤ $(x-y+3)(x-y-4)$

2 다항식 $3(x+1)^2+10(x+1)-25$를 인수분해하면?

① $(x+6)(3x-2)$ ② $(x+6)(3x+2)$
③ $(x-6)(3x-2)$ ④ $(x-6)(3x+2)$
⑤ $-(x+6)(3x-2)$

3 다항식 $x^2(x-2y)-9x+18y$의 인수는?

① $x-3$ ② x^2 ③ $x-3y$
④ $x+y$ ⑤ x^2+9

4 두 다항식 $(x-1)^2-2(x-1)-8$과 $3x^2-13x-10$의 공통인수는?

① $x+5$ ② $2x+1$ ③ $x-1$
④ $x-5$ ⑤ $2x-1$

• 정답 및 풀이 14쪽

중요도 ☐ 손도 못댐 ☐ 과정 실수 ☐ 틀린 이유:

5 $(3a+2)^2-(a-3)^2=(4a+A)(2a+B)$일 때, 상수 A, B에 대하여 $A-B$의 값은?

① -6 ② -4 ③ 2
④ 4 ⑤ 6

중요도 ☐ 손도 못댐 ☐ 과정 실수 ☐ 틀린 이유:

6 다항식 $(x-y)^2-10x+10y+25$를 인수분해하였더니 $(ax+by+c)^2$이 되었다. 이때 abc의 값은? (단, a, b, c는 상수이고 $a>0$)

① 5 ② 6 ③ 7
④ 8 ⑤ 9

중요도 ☐ 손도 못댐 ☐ 과정 실수 ☐ 틀린 이유:

7 $x(x-3)+y(y+3)-2xy-4$를 두 일차식의 곱으로 인수분해할 때, 두 일차식의 차는?

① 2 ② 5 ③ 7
④ 10 ⑤ 13

중요도 ☐ 손도 못댐 ☐ 과정 실수 ☐ 틀린 이유:

8 다항식 x^8-1을 인수분해하면 $(x^a+1)(x^b+1)(x+1)(x-1)$이다. 이때 $a+b$의 값은?

① 5 ② 6 ③ 7
④ 8 ⑤ 9

중요도 ☐ 손도 못댐 ☐ 과정 실수 ☐ 틀린 이유:

9 $x(x-1)(x-2)(x-3)+1$이 $(ax^2+bx+c)^2$으로 인수분해될 때, $a+b+c$의 값은?

① -2 ② -1 ③ 0
④ 1 ⑤ 2

중요도 ☐ 손도 못댐 ☐ 과정 실수 ☐ 틀린 이유:

10 어떤 이차식을 민서는 x의 계수를 잘못 보아 $(x-3)(x+6)$으로 인수분해하였고, 준희는 상수 항을 잘못 보아 $(x+1)(x-8)$로 인수분해하였다. 이 이차식을 옳게 인수분해하여라.

중요도 ☐ 손도 못댐 ☐ 과정 실수 ☐ 틀린 이유:

11 그림에서 두 도형 A, B의 색칠된 부분의 넓이가 서로 같다고 할 때, 도형 B의 가로의 길이를 구하여라.

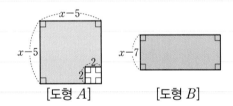

[도형 A]　　　[도형 B]

중요도 ☐ 손도 못댐 ☐ 과정 실수 ☐ 틀린 이유:

12 그림과 같이 넓이가 각각 x^2, x, 1인 세 종류의 막대 모형 15개를 모두 사용하여 직사각형을 만들 때, 새로 만든 직사각형의 둘레의 길이를 구하여라.

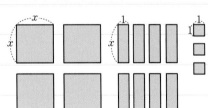

• 정답 및 풀이 14쪽

13 인수분해 공식을 이용하여 다음을 계산하여라.

중요도 □ 손도 못댐 □ 과정 실수 □ 틀린 이유:

$$\left(1-\frac{1}{2^2}\right)\times\left(1-\frac{1}{3^2}\right)\times\cdots\times\left(1-\frac{1}{8^2}\right)\times\left(1-\frac{1}{9^2}\right)$$

중요도 □ 손도 못댐 □ 과정 실수 □ 틀린 이유:

14 $997^2+6\times997+9$의 계산을 하려고 할 때, 다음 중 가장 편리한 인수분해 공식은?

① $a^2+2ab+b^2=(a+b)^2$
② $a^2-2ab+b^2=(a-b)^2$
③ $a^2-b^2=(a+b)(a-b)$
④ $x^2+(a+b)x+ab=(x+a)(x+b)$
⑤ $acx^2+(ad+bc)x+bd=(ax+b)(cx+d)$

중요도 □ 손도 못댐 □ 과정 실수 □ 틀린 이유:

15 $x=2-\sqrt{3}$, $y=2+\sqrt{3}$일 때, $x^2+2xy+y^2$의 값은?

① 4 　　　② 9 　　　③ 16
④ 25 　　　⑤ 36

중요도 □ 손도 못댐 □ 과정 실수 □ 틀린 이유:

16 $x=4+\sqrt{3}$일 때, $(x-2)^2-4(x-2)+4$의 값은?

① 1 　　　② 2 　　　③ 3
④ 4 　　　⑤ 5

01 중요도 ☐ 손도 못댐 ☐ 과정 실수 ☐ 틀린 이유:

$(x-y)(x+y)-(2x+3y)(2x-3y)$를 간단히 하면?

① $2x^2-9y^2$　　　　　② $3x^2-6xy+9y^2$

③ $-4x^2+9y^2$　　　　④ $-3x^2+8y^2$

⑤ $3x^2-8y^2$

02 중요도 ☐ 손도 못댐 ☐ 과정 실수 ☐ 틀린 이유:

다음 식을 전개한 것 중에 옳은 것은? (정답 2개)

① $(\sqrt{3}-\sqrt{6})(\sqrt{3}+\sqrt{6})=3-3\sqrt{6}$

② $(2\sqrt{2}+3)^2=17+6\sqrt{2}$

③ $(\sqrt{5}-\sqrt{3})^2=8-2\sqrt{15}$

④ $(2\sqrt{3}+2\sqrt{7})(2\sqrt{3}-2\sqrt{7})=-16$

⑤ $(3\sqrt{5}+2)(4\sqrt{6}-2)=12\sqrt{30}-2\sqrt{5}-4$

03 중요도 ☐ 손도 못댐 ☐ 과정 실수 ☐ 틀린 이유:

$(x+a)(2x-1)=2x^2+x-a$일 때, 상수 a의 값은?

① -2　　　　② -1　　　　③ 1

④ 2　　　　⑤ 3

04 🖊 서술형 중요도 ☐ 손도 못댐 ☐ 과정 실수 ☐ 틀린 이유:

$(3a-1)^2(3a+1)^2$의 전개식에서 a^4의 계수와 a^2의 계수의 합을 구하면?

① 57　　　　② 63　　　　③ 79

④ 99　　　　⑤ 104

05 중요도 ☐ 손도 못댐 ☐ 과정 실수 ☐ 틀린 이유:

그림과 같이 직사각형 모양의 땅에 폭이 일정한 길을 만들고 남은 부분에 화단을 만들었다. 이때 화단의 넓이는?

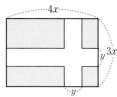

① $7x^2+7xy-y^2$　② $7x^2-xy+y^2$　③ $12x^2-y^2$

④ $12x^2-7xy+y^2$　⑤ $12x^2+xy+y^2$

06 중요도 ☐ 손도 못댐 ☐ 과정 실수 ☐ 틀린 이유:

$x+\dfrac{1}{x}=4$일 때, $x^2+\dfrac{1}{x^2}$의 값을 구하여라.

07 중요도 ☐ 손도 못댐 ☐ 과정 실수 ☐ 틀린 이유:

$(2\sqrt{3}-4)(2\sqrt{3}+4)+5\sqrt{3}$을 계산하면?

① -4 ② $-16+9\sqrt{3}$ ③ $5\sqrt{3}+4$

④ $-4+5\sqrt{3}$ ⑤ 7

08 중요도 ☐ 손도 못댐 ☐ 과정 실수 ☐ 틀린 이유:

$\dfrac{(4\sqrt{2}+3)^2-12}{(4\sqrt{2}+3)(4\sqrt{2}-3)}$를 간단히 하여라.

09 중요도 ☐ 손도 못댐 ☐ 과정 실수 ☐ 틀린 이유:

$(x+3y-2)(x-3y+2)$를 전개하면?

① $x^2-9y^2+12y+4$ ② $x^2-9y^2+12y-4$

③ $x^2-9y^2-12xy+4$ ④ $x^2+9y^2-12xy-4$

⑤ $x^2+9y^2-12y-4$

10 중요도 ☐ 손도 못댐 ☐ 과정 실수 ☐ 틀린 이유:

$x^2-5x+1=0$일 때, $x^2+\dfrac{1}{x^2}$의 값을 구하여라.

11 중요도 ☐ 손도 못댐 ☐ 과정 실수 ☐ 틀린 이유:

$x=\dfrac{\sqrt{3}+1}{\sqrt{3}-1}$일 때, $x+\dfrac{1}{x}$의 값을 구하여라.

12 중요도 ☐ 손도 못댐 ☐ 과정 실수 ☐ 틀린 이유:

$x^2-x+2=0$일 때, $(x+1)(x-4)(x+3)(x-2)$의 값을 구하여라.

13 중요도 □ 손도 못댐 □ 과정 실수 □ 틀린 이유:

$x=\sqrt{3}-2\sqrt{2}+4$일 때, $x^2-8x+13$의 값은?

① -8 ② $-8+2\sqrt{6}$ ③ 8

④ $8+4\sqrt{6}$ ⑤ $8-4\sqrt{6}$

14 중요도 □ 손도 못댐 □ 과정 실수 □ 틀린 이유:

$a-b=4$, $a^2+b^2=8$일 때, $\dfrac{a}{b}+\dfrac{b}{a}$의 값은?

① 2 ② 3 ③ 4

④ -2 ⑤ -4

15 중요도 □ 손도 못댐 □ 과정 실수 □ 틀린 이유:

다음 중 a^3-16a의 인수가 아닌 것은?

① a ② $a+4$ ③ $a-4$

④ a^2-16 ⑤ a^2

16 중요도 □ 손도 못댐 □ 과정 실수 □ 틀린 이유:

$x^2-x-30=(x-a)(x-b)$일 때, 상수 a, b에 대하여 $a-b$의 값은? (단, $a>b$)

① 2 ② 10 ③ 11

④ 14 ⑤ 25

17 중요도 □ 손도 못댐 □ 과정 실수 □ 틀린 이유:

다음 중 완전제곱식이 될 수 <u>없는</u> 것은?

① $\dfrac{1}{4}x^2-3x+9$ ② $4x^2+20x+25$

③ x^4+2x^2+1 ④ x^2+6x+9

⑤ $x^2-\dfrac{1}{4}x+\dfrac{1}{8}$

18 중요도 □ 손도 못댐 □ 과정 실수 □ 틀린 이유:

다음 중 두 다항식 x^2-9와 $x^2-3x-18$의 공통인수는?

① $x+3$ ② $x-3$ ③ $x-9$

④ $x-6$ ⑤ $x+9$

19
중요도 ☐ 손도 못댐 ☐ 과정 실수 ☐ 틀린 이유:

다음 중 인수분해가 옳게 되지 <u>않은</u> 것은?

① $4x^2 - 4x + 1 = (2x - 1)^2$

② $3x^2 - 27 = 3(x + 3)(x - 3)$

③ $x^2 - x - 12 = (x - 3)(x + 4)$

④ $2x^2 - 4x + 2 = 2(x - 1)^2$

⑤ $5x^2 - 9x - 2 = (x - 2)(5x + 1)$

20
중요도 ☐ 손도 못댐 ☐ 과정 실수 ☐ 틀린 이유:

$x - 5$가 $6x^2 - ax - 15$의 인수일 때, 상수 a의 값은?

① 24   ② 25   ③ 26

④ 27   ⑤ 28

21
중요도 ☐ 손도 못댐 ☐ 과정 실수 ☐ 틀린 이유:

$a = 3\sqrt{2} + 5$일 때, $\dfrac{a^2 - 6a + 5}{a - 1}$의 값은?

① $3\sqrt{2} - 10$ ② $3\sqrt{2} - 6$ ③ $3\sqrt{2} - 5$

④ $3\sqrt{2} - 4$ ⑤ $3\sqrt{2}$

22
중요도 ☐ 손도 못댐 ☐ 과정 실수 ☐ 틀린 이유:

$A = \sqrt{x^2 - 2x + 1} + \sqrt{x^2 - 6x + 9}$일 때, 다음 보기에서 옳은 것을 모두 고른 것은?

보기

ㄱ. $x < 1$일 때, $A = -2x - 4$이다.

ㄴ. $1 < x < 3$일 때, $A = 2$이다.

ㄷ. $x > 5$일 때, $A = 2x - 4$이다.

① ㄱ   ② ㄷ   ③ ㄱ, ㄴ

④ ㄴ, ㄷ   ⑤ ㄱ, ㄴ, ㄷ

23
서술형 중요도 ☐ 손도 못댐 ☐ 과정 실수 ☐ 틀린 이유:

인수분해 공식을 이용하여 다음을 계산하여라.

$$\left(1 - \frac{1}{2^2}\right) \times \left(1 - \frac{1}{3^2}\right) \times \cdots \times \left(1 - \frac{1}{9^2}\right) \times \left(1 - \frac{1}{10^2}\right)$$

24
중요도 ☐ 손도 못댐 ☐ 과정 실수 ☐ 틀린 이유:

$2020 \times 2014 + 9$가 어떤 자연수의 제곱일 때, 어떤 자연수를 구하여라.

08 이차방정식의 풀이 (1)

학습목표 •이차방정식과 그 해의 의미를 이해하고, 이를 풀 수 있다.

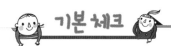 기본 체크

01
다음 중 이차방정식인 것에는 ○표, 이차방정식이 아닌 것에는 ×표를 하여라.

(1) $x^2-6x+5=0$ (   )

(2) $-3x+1=0$ (   )

(3) $x^2=0$ (   )

(4) $x^2+1=x^2+x$ (   )

02
다음 이차방정식의 해를 구하여라.

(1) $(x+2)(x-2)=0$

(2) $(x+1)(x+5)=0$

(3) $(x-3)(x-7)=0$

(4) $x(x+6)=0$

 핵심 정리

✹ 이차방정식과 그 해
① x에 대한 이차방정식: 방정식의 모든 항을 좌변으로 이항하여 정리한 식이 $ax^2+bx+c=0(a\neq0,\ a,\ b,\ c$는 상수$)$과 같은 꼴로 나타내어지는 방정식

⌐이차방정식 $ax^2+bx+c=0$의 좌변이 반드시 이차식이어야 하므로 $a\neq0$이어야 한다.

② 이차방정식의 해(근): 이차방정식 $ax^2+bx+c=0$을 참이 되게 하는 미지수 x의 값

⌐특별한 언급이 없으면 미지수 x의 값은 실수 전체로 생각한다.

✹ 이차방정식의 풀이
① 인수분해를 이용한 이차방정식의 풀이: 두 식 A, B에 대하여 $AB=0$이면 $A=0$ 또는 $B=0$을 이용하여 해를 구한다.
② 제곱근을 이용한 이차방정식의 풀이: 이차방정식 $(x+p)^2=q(q\geq0)$의 근은 $x=-p\pm\sqrt{q}$
③ 완전제곱식을 이용한 이차방정식의 풀이: 인수분해를 이용하여 풀 수 없는 경우에는 완전제곱식 $(x+p)^2=q(q\geq0)$의 꼴로 만든 후 제곱근을 이용하여 풀 수 있다.

대표예제

• 정답 및 풀이 16쪽

01 다음 [ ] 안의 수가 주어진 이차방정식의 해가 되는지 알아보아라.

(1) $x^2+x=0$ $[-1]$　　　　　　(2) $x^2-2x-1=0$ $[\ 1\ ]$

풀이 (1) $x^2+x=0$의 x에 ☐을 대입하면

$(-1)^2+(-1)=1-1=0$

으로 ☐이 된다.

따라서 $x=-1$은 주어진 이차방정식의 ☐.

(2) $x^2-2x-1=0$의 x에 1을 대입하면

$1^2-2\times1-1=1-2-1=-2\neq0$

으로 ☐이다.

따라서 $x=1$은 주어진 이차방정식의 ☐.

02 다음 이차방정식을 풀어라.

풀이 (1) $x^2+2x-3=0$　　　　　　　(2) $2x^2-5x+3=0$

(1) 좌변을 인수분해하면 $\boxed{}=0$

$x+3=0$ 또는 $\boxed{}=0$

따라서 $x=-3$ 또는 $x=\boxed{}$

(2) 좌변을 인수분해하면 $\boxed{}=0$

$2x-3=0$ 또는 $\boxed{}=0$

따라서 $x=\dfrac{3}{2}$ 또는 $x=\boxed{}$

> 두 수 또는 두 식 A, B에 대하여 $AB=0$이면
> (1) $A=0$, $B=0$
> (2) $A=0$, $B\neq 0$
> (3) $A\neq 0$, $B=0$
> 의 세 가지 중에서 한 가지가 성립한다.

03 다음 이차방정식을 풀어라.

(1) $(x-1)^2-2=0$　　　　　　(2) $(2x-1)^2-3=0$

풀이 (1) 좌변의 -2를 우변으로 이항하면 $\boxed{}$

$x-1$은 2의 제곱근이므로 $\boxed{}$

좌변의 -1을 우변으로 이항하면 $\boxed{}$

(2) 좌변의 -3을 우변으로 이항하면 $\boxed{}$

$2x-1$은 3의 제곱근이므로 $\boxed{}$

좌변의 -1을 우변으로 이항하면 $\boxed{}$

양변을 2로 나누면 $x=\boxed{}$

> 이차방정식 $x^2=b$의 해
> ① $b>0$일 때 $x=\pm\sqrt{b}$
> ② $b=0$일 때 $x=0$(중근)
> ③ $b<0$일 때, 해는 없다.

04 이차방정식 $2x^2-6x+1=0$을 풀어라.

풀이 x^2의 계수가 1이 되도록 양변을 2로 나누면 $\boxed{}$

상수항을 우변으로 이항하면 $\boxed{}$

x의 계수 -3의 $\dfrac{1}{2}$의 제곱인 $\left(-3\times\dfrac{1}{2}\right)^2$을 양변에 더하면

$x^2-3x+\boxed{}=-\dfrac{1}{2}+\boxed{}$

좌변을 완전제곱식으로 나타내면 $\boxed{}$

제곱근을 구하면 $\boxed{}$

따라서 $x=\boxed{}$ $=\boxed{}$

오개념 진단

이차방정식 $x(x-a)=0$의 해는 $x=0$ 또는 $x=a$이다. 이 경우 이차방정식의 해를 $x=a$로만 구하여 오류를 범하지 않도록 한다.

08 이차방정식의 풀이(1)

어떤 교과서에나 나오는 문제

01 다음 중 이차방정식이 <u>아닌</u> 것은?

① $\dfrac{1}{3}x^2=0$

② $(x-2)(2x+1)=0$

③ $(x+4)^2=8x$

④ $(x+1)(x-1)=x^2-x$

⑤ $x^2(x-1)=x^3-x$

02 이차방정식 $x^2+3x-a=0$의 한 근이 -1일 때, 상수 a의 값은?

① -3 ② -2 ③ -1

④ 2 ⑤ 3

03 두 이차방정식 $\left(x+\dfrac{1}{2}\right)(x-2)=0$, $(2x-1)(2x+1)=0$의 공통인 해는?

① $x=\dfrac{1}{2}$ ② $x=-\dfrac{1}{2}$ ③ $x=1$

④ $x=-2$ ⑤ $x=1$

04 이차방정식 $x^2-3x-10=0$을 풀면?

① $x=2$ 또는 $x=-5$

② $x=-2$ 또는 $x=5$

③ $x=-2$ 또는 $x=-5$

④ $x=1$ 또는 $x=-10$

⑤ $x=-1$ 또는 $x=10$

05 이차방정식 $3x^2-6x+a=0$의 한 근이 3일 때, 다른 한 근은? (단, a는 상수)

① -3 ② -1 ③ 1
④ 2 ⑤ 3

06 이차방정식 $x^2+12x+k=0$이 중근을 갖도록 하는 상수 k의 값을 구하여라.

07 이차방정식 $5(x+a)^2=b$의 해가 $x=2\pm\sqrt{2}$일 때, $a-b$의 값을 구하여라. (단, $b>0$)

08 이차방정식 $3x^2+18x-9=0$을 $(x+p)^2=q$의 꼴로 나타내면? (단, p, q는 상수)

① $(x+3)^2=6$ ② $(x-3)^2=6$
③ $(x+3)^2=12$ ④ $(x-3)^2=12$
⑤ $(x+9)^2=90$

시험에 꼭 나오는 문제

1 다음 중 x에 관한 이차방정식이 <u>아닌</u> 것은?

① $x^2 = 2$

② $x(x-3) = 2$

③ $x^2 = x+2$

④ $2x^2 - (2x-3) = x+1$

⑤ $(x+3)(x-3) = x^2 - 3x - 2$

2 방정식 $(a+1)x^2 - 2x = 2(x+1)$이 이차방정식이 될 조건은?

① $a \neq -1$ ② $a = 1$ ③ $a = -3$

④ $a \neq -2$ ⑤ $a \neq 5$

3 다음 이차방정식 중에서 $x=2$를 근으로 갖는 것은?

① $x^2 - 2 = 0$ ② $x^2 - 2x - 1 = 0$

③ $x^2 + 4 = 0$ ④ $x^2 - 3x + 2 = 0$

⑤ $x^2 - 2x + 3 = 0$

4 이차방정식 $x^2 + ax - 6 = 0$의 한 근이 $x = -2$일 때, 상수 a의 값은?

① -1 ② -2 ③ -3

④ -4 ⑤ -5

중요도 ☐ 손도 못댐 ☐ 과정 실수 ☐ 틀린 이유:

5 $x=k$가 이차방정식 $2x^2-8x+1=0$의 한 근일 때, $4k-k^2$의 값은?

① -1　　　② $-\dfrac{1}{2}$　　　③ $-\dfrac{1}{3}$

④ $\dfrac{1}{3}$　　　⑤ $\dfrac{1}{2}$

중요도 ☐ 손도 못댐 ☐ 과정 실수 ☐ 틀린 이유:

6 다음 중 해가 $x=\dfrac{1}{2}$ 또는 $x=-3$인 이차방정식을 모두 고르면? (정답 2개)

① $\left(x+\dfrac{1}{2}\right)(x-3)=0$　② $\left(x-\dfrac{1}{2}\right)(x+3)=0$

③ $\left(x+\dfrac{1}{2}\right)(x+3)=0$　④ $(2x-1)(x+3)=0$

⑤ $(2x+1)(x-3)=0$

중요도 ☐ 손도 못댐 ☐ 과정 실수 ☐ 틀린 이유:

7 이차방정식 $x^2+ax-6=0$의 한 근이 -3이고, 다른 근은 이차방정식 $3x^2-8x+b=0$의 근일 때, 상수 a, b의 합 $a+b$의 값은?

① 3　　　② 4　　　③ 5
④ 6　　　⑤ 7

중요도 ☐ 손도 못댐 ☐ 과정 실수 ☐ 틀린 이유:

8 이차방정식 $x^2-4x-12=0$의 두 근 중 큰 근이 이차방정식 $x^2-ax-6=0$의 근일 때, 상수 a의 값은?

① -5　　　② -2　　　③ -1
④ 1　　　⑤ 5

9 다음 중 주어진 이차방정식과 [ ] 안의 중근이 잘못
짝지어진 것은?

① $(x+1)^2=0$ [−1]
② $(x+1)^2=4x$ [1]
③ $x^2+6x+9=0$ [3]
④ $4x^2-4x+1=0$ $\left[\dfrac{1}{2}\right]$
⑤ $x^2-12x+36=0$ [6]

10 이차방정식 $x^2-8x+1+k=0$이 중근을 갖도록
하는 상수 k의 값은?

① 7   ② 9   ③ 11
④ 13   ⑤ 15

11 이차방정식 $x^2-(k+2)x+9=0$이 중근을 가질
때의 양수 k의 값이 이차방정식 $x^2+ax+5=0$의
근일 때, 상수 a의 값을 구하여라.

12 이차방정식 $(x-2)^2=k$의 두 근의 곱이 −2일 때,
양수 k의 값은?

① 1   ② 2   ③ 4
④ 6   ⑤ 8

13 이차방정식 $(x-3)(x-5)=9$를 $(x+a)^2=b$의
꼴로 나타냈을 때, 상수 a, b의 합 $a+b$의 값은?

① 14 　　　② 6 　　　③ 4
④ -4 　　　⑤ -14

14 이차방정식 $2x^2-10x+3=0$을 완전제곱식을 이용
하여 해를 구하면 $x=\dfrac{A\pm\sqrt{B}}{2}$이다. 이때 유리수 A,
B의 합 $A+B$의 값은?

① 22 　　　② 24 　　　③ 26
④ 28 　　　⑤ 30

15 다음 두 이차방정식의 공통인 근은?

$$2x^2-x-3=0,\ 2x^2-5x+3=0$$

① $-\dfrac{3}{2}$ 　　　② -1 　　　③ $\dfrac{1}{2}$

④ 1 　　　⑤ $\dfrac{3}{2}$

16 두 이차방정식 $x^2+x-6=0$, $2x^2+5x-3=0$의
공통인 근이 $x^2-mx+3=0$의 한 근일 때, 상수
m의 값은?

① -4 　　　② -2 　　　③ 0
④ 2 　　　⑤ 4

09 이차방정식의 풀이 (2)

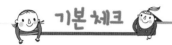

기본 체크

01

다음은 이차방정식 $3x^2+8x+1=0$을 근의 공식을 이용하여 풀이하는 과정이다. ㉠, ㉡, ㉢에 들어갈 알맞은 수를 구하여라.

$$x=\frac{-(㉡)\pm\sqrt{(㉡)^2-4\times(㉠)\times(㉢)}}{2\times㉠}$$

02

다음 이차방정식의 두 근의 합과 곱을 각각 구하여라.

(1) $x^2+3x-1=0$

(2) $2x^2-4x-6=0$

핵심 정리

✿ 이차방정식의 근의 공식

이차방정식 $ax^2+bx+c=0(a\neq0)$의 근은

$$x=\frac{-b\pm\sqrt{b^2-4ac}}{2a}\ (단,\ b^2-4ac\geq0)$$

↳이차방정식이 근을 가질 조건
$b^2-4ac>0$일 때 : 서로 다른 두근
$b^2-4ac=0$일 때 : 중근

참고 **일차항의 계수가 짝수일 때의 근의 공식**

이차방정식 $ax^2+2b'x+c=0$의 근은

$$x=\frac{-b'\pm\sqrt{b'^2-ac}}{a}\ (단,\ b'^2-ac\geq0)$$

✿ 복잡한 이차방정식의 풀이

① 괄호가 있을 때에는 전개하여 $ax^2+bx+c=0$의 꼴로 고친다.

② 계수가 소수나 분수이면 양변에 적당한 수를 곱하여 계수를 정수로 고친다.

↳계수가 분수이면 분모의 최소공배수, 계수가 소수이면 10의 거듭제곱을 곱한다.

③ 공통인 식이 있으면 치환하여 푼다.

✿ 이차방정식의 근과 계수의 관계

이차방정식 $ax^2+bx+c=0$의 두 근을 α, β라 하면

① 두 근의 합: $\alpha+\beta=-\dfrac{b}{a}$

② 두 근의 곱: $\alpha\beta=\dfrac{c}{a}$

대표예제

・정답 및 풀이 19쪽

01 이차방정식 $3x^2+5x-3=0$을 근의 공식을 이용하여 풀어라.

풀이 근의 공식에 $a=\boxed{}$, $b=\boxed{}$, $c=\boxed{}$을 대입하면

$$x=\frac{-\boxed{}\pm\sqrt{5^2-\boxed{}\times3\times(\boxed{})}}{2\times\boxed{}}=\boxed{}$$

02 이차방정식 $x(x-2)=15$를 풀어라.

풀이 괄호를 풀면 $x^2-2x=15$

우변의 15를 좌변으로 이항하면 $x^2-2x-15=0$

좌변을 인수분해하면 ☐

☐$=0$ 또는 ☐$=0$

따라서 $x=$☐ 또는 $x=$☐

> 인수분해가 되면 인수분해하여 해를 구하고, 인수분해가 되지 않으면 근의 공식을 이용하여 해를 구한다.

03 다음 이차방정식을 풀어라.

(1) $0.2x^2+x-0.1=0$ (2) $\dfrac{1}{3}x^2-x+\dfrac{1}{2}=0$

풀이 (1) 양변에 10을 곱하면 $2x^2+10x-1=0$

근의 공식에 $a=$☐, $b=$☐, $c=$☐을 대입하면

$$x=\dfrac{-☐\pm\sqrt{10^2-4\times☐\times(☐)}}{2\times☐}=\dfrac{-☐\pm\sqrt{108}}{☐}=\dfrac{-☐\pm6\sqrt{3}}{☐}$$

$$=\boxed{}$$

> 먼저 양변에 적당한 수를 곱하여 계수를 정수로 고친다.

(2) 양변에 분모의 최소공배수 6을 곱하면 $2x^2-6x+3=0$

근의 공식에 $a=$☐, $b=$☐, $c=$☐을 대입하면

$$x=\dfrac{☐\pm\sqrt{(-6)^2-4\times☐\times☐}}{2\times☐}=\dfrac{☐\pm\sqrt{12}}{☐}=\dfrac{☐\pm2\sqrt{3}}{☐}$$

$$=\boxed{}$$

> $2x^2-6x+3=0$의 해를 b가 짝수일 때의 근의 공식으로 구하면
> $$x=\dfrac{3\pm\sqrt{9-2\times3}}{2}$$
> $$=\dfrac{3\pm\sqrt{3}}{2}$$
> 에서 처럼 약분 과정이 줄어든다.

04 이차방정식 $2x^2+bx+c=0$의 두 근이 2와 3일 때, $b+c$의 값을 구하여라.

풀이 근과 계수와의 관계에 의해

☐$=5$, ☐$=6$이므로 $b=$☐, $c=$☐

$\therefore b+c=$☐

🐱 **이차방정식의 근의 개수**

$ax^2+bx+c=0$의 이차방정식에서

① $b^2-4ac>0$이면, 서로 다른 두 근을 갖는다.

② $b^2-4ac=0$이면, 중근을 갖는다. (근이 1개)

③ $b^2-4ac<0$이면, 근이 없다.

참고 b가 짝수일 때 $\left(\dfrac{b}{2}=b'\right)$

① $b'^2-ac>0 \Rightarrow$ 근의 개수 : 2개 (서로 다른 두 근)

② $b'^2-ac=0 \Rightarrow$ 근의 개수 : 1개 (중근)

③ $b'^2-ac<0 \Rightarrow$ 근의 개수 : 0개 (근이 없다)

09 이차방정식의 풀이(2)

어떤 교과서에나 나오는 문제

중요도 ☐ 손도 못댐 ☐ 과정 실수 ☐ 틀린 이유:

01 이차방정식 $3x^2-x=x^2-6x+1$의 근이
$x=\dfrac{A\pm\sqrt{B}}{4}$일 때, $A+B$의 값을 구하여라.

중요도 ☐ 손도 못댐 ☐ 과정 실수 ☐ 틀린 이유:

02 이차방정식 $(x+3)^2=2x(x-1)$을 풀면?

① $x=-1$ 또는 $x=9$
② $x=1$ 또는 $x=-9$
③ $x=-2$ 또는 $x=4$
④ $x=2$ 또는 $x=-4$
⑤ $x=1$ 또는 $x=-3$

중요도 ☐ 손도 못댐 ☐ 과정 실수 ☐ 틀린 이유:

03 이차방정식 $0.1x^2+0.4x-1=0$의 근이
$x=-2\pm\sqrt{k}$일 때, 유리수 k의 값은?

① 2   ② 4   ③ 6
④ 10   ⑤ 14

중요도 ☐ 손도 못댐 ☐ 과정 실수 ☐ 틀린 이유:

04 이차방정식 $\dfrac{1}{2}x^2-\dfrac{1}{3}=\dfrac{x+1}{6}$을 풀면?

① $x=1$ 또는 $x=\dfrac{1}{3}$

② $x=3$ 또는 $x=-\dfrac{1}{3}$

③ $x=\dfrac{1\pm\sqrt{37}}{6}$

④ $x=\dfrac{-1\pm\sqrt{37}}{6}$

⑤ $x=\dfrac{1\pm\sqrt{10}}{6}$

05 중요도 ☐ 손도 못댐 ☐ 과정 실수 ☐ 틀린 이유:

$3(x-1)^2+(2x-1)(x+4)=14x+5$의 두 근을 α, β라 할 때, $5\alpha+\beta$의 값은? (단, $\alpha<\beta$)

① -2 ② -1 ③ 0
④ 1 ⑤ 2

06 중요도 ☐ 손도 못댐 ☐ 과정 실수 ☐ 틀린 이유:

이차방정식 $(x-1)^2-2(x-1)=15$를 풀면?

① $x=6$ 또는 $x=-2$
② $x=5$ 또는 $x=3$
③ $x=-6$ 또는 $x=2$
④ $x=-5$ 또는 $x=3$
⑤ $x=4$ 또는 $x=-4$

07 중요도 ☐ 손도 못댐 ☐ 과정 실수 ☐ 틀린 이유:

$x>y$이고 $(x-y)(x-y+3)-18=0$일 때, $x-y$의 값은?

① 2 ② 3 ③ 4
④ 5 ⑤ 6

08 중요도 ☐ 손도 못댐 ☐ 과정 실수 ☐ 틀린 이유:

이차방정식 $2x^2-8x+k-3=0$이 서로 다른 두 근을 가질 때, 상수 k의 값으로 적당하지 <u>않은</u> 것을 모두 고르면? (정답 2개)

① 8 ② 9 ③ 10
④ 11 ⑤ 12

시험에 꼭 나오는 문제

중요도 ☐ 손도 못댐 ☐ 과정 실수 ☐ 틀린 이유:

1 이차방정식 $5x^2+7x+p=0$의 근이 $x=\dfrac{q\pm\sqrt{29}}{10}$

일 때, 유리수 p, q의 합 $p+q$의 값은?

① -6 ② -3 ③ 0
④ 3 ⑤ 6

중요도 ☐ 손도 못댐 ☐ 과정 실수 ☐ 틀린 이유:

2 이차방정식 $ax^2-2x-3=0$의 근이 $x=\dfrac{1\pm\sqrt{b}}{5}$일

때, 유리수 a, b의 합 $a+b$의 값은?

① 12 ② 15 ③ 18
④ 21 ⑤ 24

중요도 ☐ 손도 못댐 ☐ 과정 실수 ☐ 틀린 이유:

3 이차방정식 $\dfrac{1}{4}x^2-\dfrac{5}{6}x-\dfrac{11}{12}=0$의 근이

$x=\dfrac{A\pm\sqrt{B}}{3}$일 때, 유리수 A, B의 합 $A+B$의 값

은?

① 36 ② 45 ③ 54
④ 63 ⑤ 72

중요도 ☐ 손도 못댐 ☐ 과정 실수 ☐ 틀린 이유:

4 이차방정식 $0.7x=0.2-\dfrac{1}{2}x^2$을 풀면?

① $x=\dfrac{-7\pm\sqrt{89}}{5}$ ② $x=\dfrac{-7\pm\sqrt{89}}{10}$

③ $x=\dfrac{7\pm\sqrt{89}}{10}$ ④ $x=-7\pm\sqrt{89}$

⑤ $x=7\pm\sqrt{89}$

• 정답 및 풀이 20쪽

중요도 ☐ 손도 못댐 ☐ 과정 실수 ☐ 틀린 이유:

5 이차방정식 $0.1x^2 - 0.2x - 1 = 0$의 근이
$x = 1 \pm \sqrt{k}$일 때, 유리수 k의 값은?

① 3 　　　② 5 　　　③ 7
④ 9 　　　⑤ 11

중요도 ☐ 손도 못댐 ☐ 과정 실수 ☐ 틀린 이유:

6 이차방정식 $3(x-2) + \dfrac{x^2+3}{4} = (x+2)(x-3)$

의 근이 $x = \dfrac{A \pm \sqrt{B}}{3}$일 때, $B - 10A$의 값을 구하

여라. (단, A, B는 유리수)

중요도 ☐ 손도 못댐 ☐ 과정 실수 ☐ 틀린 이유:

7 $(a-b)^2 - 2(a-b) - 35 = 0$이고 $ab = -2$일 때,
$a^2 + b^2$의 값은? (단, $a > b$)

① 37 　　　② 41 　　　③ 45
④ 49 　　　⑤ 53

중요도 ☐ 손도 못댐 ☐ 과정 실수 ☐ 틀린 이유:

8 다음 이차방정식 중 근의 개수가 다른 하나는?

① $4x^2 - 6x + 9 = 0$ 　　② $4x^2 + 4x + 1 = 0$
③ $x^2 - 2x + 1 = 0$ 　　④ $x(x-6) + 9 = 0$
⑤ $3x(x-4) + 12 = 0$

중요도 ☐ 손도 못댐 ☐ 과정 실수 ☐ 틀린 이유:

9 이차방정식 $x^2 + Ax + B = 0$의 근에 대한 〈보기〉의 설명 중 옳은 것을 모두 고르면?

> **보기**
> ㄱ. $A > 0$이면 근이 없다.
> ㄴ. $A = 0$, $B = 1$이면 중근을 갖는다.
> ㄷ. $B < -1$이면 서로 다른 두 근을 갖는다.

① ㄱ ② ㄴ ③ ㄷ
④ ㄱ, ㄴ ⑤ ㄴ, ㄷ

중요도 ☐ 손도 못댐 ☐ 과정 실수 ☐ 틀린 이유:

10 이차방정식 $x^2 - 3x + 4 - k = 0$이 해를 갖지 않도록 하는 자연수 k의 개수는?

① 0 ② 1 ③ 2
④ 3 ⑤ 4

중요도 ☐ 손도 못댐 ☐ 과정 실수 ☐ 틀린 이유:

11 x에 관한 이차방정식 $9x^2 - 12x + 2a + 1 = 0$이 중근을 가질 때, 상수 a의 값은?

① $-\dfrac{3}{2}$ ② -1 ③ $\dfrac{1}{2}$
④ 1 ⑤ $\dfrac{3}{2}$

중요도 ☐ 손도 못댐 ☐ 과정 실수 ☐ 틀린 이유:

12 x에 관한 이차방정식 $x^2 + k(2x - 5) + 6 = 0$이 중근을 가질 때, 양수 k의 값은?

① -3 ② -2 ③ -1
④ 1 ⑤ 2

중요도 ☐ 손도 못댐 ☐ 과정 실수 ☐ 틀린 이유:

13 이차방정식 $x^2 - 8x + 4p - 1 = 0$의 두 근의 합이 $-q$이고, 곱이 3일 때, $p+q$의 값은? (단, p는 상수)

① -7 ② -5 ③ -3
④ -1 ⑤ 3

중요도 ☐ 손도 못댐 ☐ 과정 실수 ☐ 틀린 이유:

14 이차방정식 $x^2 - (x-3)m + x + 1 = 0$의 두 근의 합과 곱이 같을 때, 상수 m의 값은?

① -2 ② -1 ③ 0
④ 1   ⑤ 2

중요도 ☐ 손도 못댐 ☐ 과정 실수 ☐ 틀린 이유:

15 이차방정식 $x^2 - 5x + 3 = 0$의 두 근을 α, β라 할 때, $\alpha^2 + 3\alpha\beta + \beta^2$의 값은?

① 24   ② 28   ③ 32
④ 36   ⑤ 40

중요도 ☐ 손도 못댐 ☐ 과정 실수 ☐ 틀린 이유:

16 이차방정식 $x^2 - 2x + k + 1 = 0$의 두 근을 α, β라 할 때, $\alpha^2 + \beta^2 = 8$이 성립한다. 이때 k의 값은?

① -1 ② -2 ③ -3
④ -4 ⑤ -5

10 이차방정식의 활용

학습목표 • 이차방정식을 활용하여 여러 가지 문제를 해결할 수 있다.

기본 체크

[01~02] 두 자연수의 합이 11이고 곱이 28인 두 수 중 작은 수를 x라고 할 때, 다음 물음에 답하여라.

01

x에 관한 이차방정식을 $x^2+ax+b=0$이라고 할 때, 상수 a, b의 값을 구하여라.

02

x의 값을 구하여라.

핵심 정리

이차방정식의 활용 문제를 풀 때에는 다음과 같은 순서로 풀면 편리하다.

① 문제의 뜻을 이해하고 구하려고 하는 것을 미지수 x로 놓는다.
② 문제의 뜻에 알맞게 방정식을 세운다.
③ 방정식을 풀어 근을 구한다.
④ 구한 근이 문제의 뜻에 맞는지 확인한다.

참고 **도형에 관한 활용 문제**

(1) (직사각형의 넓이)＝(가로의 길이)×(세로의 길이)
(2) (사다리꼴의 넓이)＝$\frac{1}{2}$×{(윗변의 길이)＋(아랫변의 길이)}×(높이)
(3) (삼각형의 넓이)＝$\frac{1}{2}$×(밑변의 길이)×(높이)
(4) (반지름의 길이가 r인 원의 넓이)＝πr^2
(5) (직사각형의 둘레의 길이)＝2×{(가로의 길이)＋(세로의 길이)}

대표예제

• 정답 및 풀이 21쪽

01 연속하는 세 자연수가 있다. 가장 큰 수의 제곱은 다른 두 수의 제곱의 합보다 21이 더 작다고 한다. 이들 세 자연수를 구하여라.

풀이 연속하는 세 자연수를 x, $x+1$, ☐ 라고 하면

$(\square)^2=x^2+(x+1)^2-21$

괄호를 풀어 정리하면 ☐ $=2x^2+2x-20$

$x^2-2x-\square=0$, $(x+\square)(x-\square)=0$

따라서 $x=\square$ 또는 $x=\square$

그런데 x는 자연수이므로 $x=\square$이고 연속하는 세 자연수는 ☐ 이다.

[검토]

$8^2+21=85$이고 $6^2+7^2=85$이므로 문제의 뜻에 맞다.

거리, 길이, 넓이, 부피, 시간, 속력 등은 양수이어야 하고, 사람 수, 나이 등은 자연수이어야 한다.

02 오른쪽 그림과 같이 한 변의 길이가 6 m인 정사각형 모양의 땅에 폭이 일정한 길을 만들었더니 길을 제외한 땅의 넓이가 16 m²가 되었다. 이때 이 길의 폭을 구하여라.

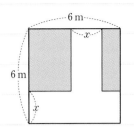

풀이 길의 폭을 x m라고 하면

$(\boxed{})^2=16$, $x^2-12x+\boxed{}=0$

$(x-\boxed{})(x-\boxed{})=0$, 즉 $x=\boxed{}$ 또는 $x=\boxed{}$

이때 $0<x<6$이므로 $x=\boxed{}$

따라서 길의 폭은 $\boxed{}$이다.

03 재현이는 '과학의 날'행사에서 물 로켓을 발사하였다. 초속 25 m로 지면에서 수직으로 발사한 물 로켓의 t초 후의 높이는 $(-5t^2+25t)$ m라고 한다. 다음 물음에 답하여라.

(1) 이 물 로켓의 높이가 20 m일 때에는 쏘아올린 지 몇 초 후인가?

(2) 이 물 로켓이 다시 지면에 떨어지는 것은 쏘아 올린 지 몇 초 후인가?

풀이 (1) 물 로켓을 쏘아 올린 지 t초 후의 높이를 20 m라 하고 방정식을 세우면

$\boxed{}$

이것을 정리하면 $\boxed{}=0$

좌변을 인수분해하면 $\boxed{}=0$

따라서 $t=\boxed{}$ 또는 $t=\boxed{}$

그러므로 지면으로부터 높이가 20 m일 때에는 물 로켓을 쏘아 올린 지 $\boxed{}$초 후

또는 $\boxed{}$초 후이다.

(2) 물 로켓이 지면에 떨어지면 높이는 $\boxed{}$ m이므로 $\boxed{}$

이 방정식을 풀면 $-5t(t-5)=0$

따라서 $t=\boxed{}$ 또는 $t=\boxed{}$

그러므로 다시 지면에 떨어지는 것은 물 로켓을 쏘아 올린 지 $\boxed{}$초 후이다.

> 위로 던져 올린 물체의 시간 t에 따른 높이 h의 관계는 다음과 같다.
> (1) 던진 물체가 땅에 떨어질 때, 걸린 시간은 $h=0$을 대입하여 구한다.
> (2) 지면으로부터의 물체의 높이 h는 올라갈 때와 내려올 때, 2번 생긴다.

수에 관한 문제

(1) 연속하는 두 정수 ⇒ x, $x+1$ 또는 $x-1$, x (단, x는 정수)

(2) 연속하는 두 짝수 ⇒ x, $x+2$ 또는 $2x$, $2x+2$ (단, x는 자연수)

(3) 연속하는 두 홀수 ⇒ x, $x+2$ 또는 $2x-1$, $2x+1$ (단, x는 자연수)

(4) 연속하는 세 정수 ⇒ $x-1$, x, $x+1$ 또는 x, $x+1$, $x+2$

중요도 ☐ 손도 못댐 ☐ 과정 실수 ☐ 틀린 이유:

01 연속하는 두 자연수의 제곱의 합이 61일 때, 이 두 수를 구하여라.

중요도 ☐ 손도 못댐 ☐ 과정 실수 ☐ 틀린 이유:

02 차가 3인 두 자연수의 곱이 154일 때, 두 자연수 중에서 큰 수를 구하여라.

중요도 ☐ 손도 못댐 ☐ 과정 실수 ☐ 틀린 이유:

03 n각형의 대각선의 총 수는 $\dfrac{n(n-3)}{2}$개다. 대각선의 총 수가 44개인 다각형의 변의 개수를 구하여라.

중요도 ☐ 손도 못댐 ☐ 과정 실수 ☐ 틀린 이유:

04 연속한 세 홀수가 있다. 가장 작은 수와 큰 수의 제곱의 합이 나머지 수의 20배보다 30만큼 클 때, 세 홀수를 구하여라.

05 지면에서 초속 50 m로 똑바로 위로 쏘아 올린 물체의 t초 후의 높이가 $(50t - 5t^2)$ m라고 할 때, 이 물체가 다시 지면에 떨어지는 데 걸리는 시간을 구하여라.

중요도 ☐ 손도 못댐 ☐ 과정 실수 ☐ 틀린 이유:

06 사과 140개를 몇 명의 학생들에게 똑같이 나누어 주려고 한다. 한 학생에게 나누어 주는 사과의 수가 학생의 수보다 4개 적을 때, 학생의 수를 구하여라.

중요도 ☐ 손도 못댐 ☐ 과정 실수 ☐ 틀린 이유:

07 어떤 정사각형의 가로의 길이를 6 cm만큼 늘이고, 세로의 길이를 1 cm만큼 줄여서 직사각형으로 만들었더니 처음 정사각형의 넓이의 2배가 되었다. 처음 정사각형의 한 변의 길이를 구하여라.

중요도 ☐ 손도 못댐 ☐ 과정 실수 ☐ 틀린 이유:

08 오른쪽 그림과 같은 가로, 세로의 길이가 각각 15 m, 11 m인 직사각형 모양의 잔디밭에 폭이 일정한 길을 냈더니 잔디밭의 넓이가 140 m²였다. 길의 폭을 구하여라.

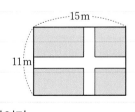

중요도 ☐ 손도 못댐 ☐ 과정 실수 ☐ 틀린 이유:

시험에 꼭 나오는 문제

중요도 ☐ 손도 못댐 ☐ 과정 실수 ☐ 틀린 이유:

1 자연수 중 연속하는 두 홀수가 있다. 두 홀수의 곱이 255일 때, 이 두 홀수의 합은?

① 28   ② 32   ③ 36
④ 40   ⑤ 44

중요도 ☐ 손도 못댐 ☐ 과정 실수 ☐ 틀린 이유:

2 n명 중 대표 2명을 뽑는 경우의 수는 $\dfrac{n(n-1)}{2}$가지이다. 어떤 모임의 회원 중 대표 2명을 뽑는 경우의 수가 78가지일 때, 이 모임의 회원은 몇 명인가?

① 11명   ② 12명   ③ 13명
④ 14명   ⑤ 15명

중요도 ☐ 손도 못댐 ☐ 과정 실수 ☐ 틀린 이유:

3 n각형의 대각선의 총 수가 $\dfrac{n(n-3)}{2}$개일 때, 대각선이 모두 77개인 다각형은 몇 각형인가?

① 구각형   ② 십각형   ③ 십이각형
④ 십사각형   ⑤ 십칠각형

중요도 ☐ 손도 못댐 ☐ 과정 실수 ☐ 틀린 이유:

4 섬이 많은 복잡한 해안가의 어느 세 섬도 일직선 위에 있지 않을 때, 몇 개의 섬을 직선 도로로 서로 연결하려고 한다. 필요한 도로의 수가 28개일 때, 섬은 모두 몇 개인가?

① 5개   ② 6개   ③ 7개
④ 8개   ⑤ 9개

5 연속하는 4개의 자연수가 있다. 가장 큰 수의 제곱에서 가장 작은 수의 제곱을 뺀 수는 나머지 두 수의 곱보다 33만큼 작다고 한다. 이때 가장 작은 수는?

① 4   ② 5   ③ 6
④ 7   ⑤ 8

중요도 ☐   손도 못댐 ☐   과정 실수 ☐   틀린 이유:

6 민서네 학교에서 기말 고사를 치르기 위하여 직사각형 모양으로 좌석을 배열하려고 한다. 가로, 세로의 줄 수를 합하여 11줄로 하고, 30명이 앉을 수 있도록 좌석을 배열하려고 할 때, 가로의 줄의 수를 구하여라. (단, 세로의 줄 수가 가로의 줄 수보다 많다.)

중요도 ☐   손도 못댐 ☐   과정 실수 ☐   틀린 이유:

7 도시락 63개를 몇 명의 학생들에게 똑같이 나누어 주려고 한다. 한 학생이 받는 도시락의 개수가 학생 수보다 2만큼 작다고 할 때, 학생 수는?

① 7   ② 8   ③ 9
④ 10   ⑤ 11

중요도 ☐   손도 못댐 ☐   과정 실수 ☐   틀린 이유:

8 예림이는 온천 여행을 2월에 2박 3일 동안 가기로 하였는데 3일간의 날짜를 각각 제곱하여 더하였더니 110이었다. 이때 온천 여행의 출발 날짜는?

① 2월 4일   ② 2월 5일
③ 2월 6일   ④ 2월 7일
⑤ 2월 8일

중요도 ☐   손도 못댐 ☐   과정 실수 ☐   틀린 이유:

9 재희가 불꽃놀이를 하고 있는데 불꽃을 위로 쏘아 올렸을 때, t초 후의 높이를 h m라고 하면 $h=-7t^2+42t$의 관계가 성립한다. 이 불꽃을 쏘아 올린 지 1초일 때와 3초일 때의 높이의 차는?

① 15 m ② 17 m ③ 20 m
④ 25 m ⑤ 28 m

10 지상에서 공을 초속 80 m로 수직으로 던졌을 때, t초 후의 높이를 h m라 하면 $h=80t-5t^2$이 성립한다. 공을 던졌을 때, 높이 320 m지점을 지난 후 땅에 떨어질 때까지 걸리는 시간은?

① 5초 ② 6초 ③ 7초
④ 8초 ⑤ 9초

11 다음은 어느 교실에 있는 학생을 보고 선생님이 쓴 시이다. 이 반의 학생 수를 구하여라. (단, 이 반의 학생 수는 20명보다 많다.)

> 점심 시간이 되어 학생들이 다들 신나게 놀고 있네. 반 학생들의 $\frac{1}{8}$의 제곱은 운동장을 뛰어 다니고 반 학생들의 $\frac{1}{2}$은 교실에서 이야기를 나누네. 남은 학생 3명은 화장실을 다녀온다고 교실을 나가네.

12 오른쪽 그림과 같이 어떤 원에서 반지름의 길이를 2 cm만큼 늘인 원의 넓이는 처음 원의 넓이의 3배가 되었다. 이때 처음 원의 반지름의 길이는?

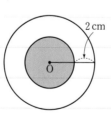

① $(1+\sqrt{3})$ cm ② $(1+\sqrt{2})$ cm
③ $(1+2\sqrt{3})$ cm ④ $(1+2\sqrt{3})$ cm
⑤ $(1+3\sqrt{2})$ cm

중요도 ☐ 손도 못댐 ☐ 과정 실수 ☐ 틀린 이유:

13 오른쪽 그림과 같이 정사각형
세 개가 포개어져 있다. 가장
큰 정사각형의 넓이가 나머지
두 정사각형의 넓이의 합과 같
을 때, 색칠한 부분의 넓이를
구하여라.

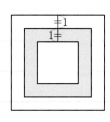

중요도 ☐ 손도 못댐 ☐ 과정 실수 ☐ 틀린 이유:

14 오른쪽 그림과 같이
9 cm를 두 부분으로
나눠 각각을 한 변으
로 하는 두 개의 정사
각형을 만들었더니 두
정사각형의 넓이의 합이 45 cm^{2}라고 한다. 이때 큰
정사각형의 한 변의 길이를 구하여라.

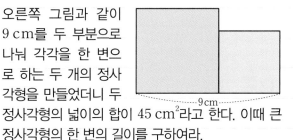

중요도 ☐ 손도 못댐 ☐ 과정 실수 ☐ 틀린 이유:

15 오른쪽 그림과 같이 직사각
형 BDEF의 넓이가 40 cm^2
일 때, $\overline{BD}$의 길이를 구하여
라.(단, $\overline{BD} > \overline{DC}$)

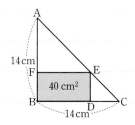

중요도 ☐ 손도 못댐 ☐ 과정 실수 ☐ 틀린 이유:

16 너비가 12 cm인 양철판의
양쪽을 같은 너비로 접어서
단면의 넓이가 16 cm^2 가
되도록 할 때, 양쪽을 몇
cm씩 접어야 하는가?

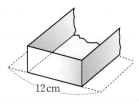

① 2 cm 또는 4 cm   ② 3 cm 또는 4 cm

③ 4 cm 또는 6 cm   ④ 4 cm 또는 8 cm

⑤ 6 cm 또는 8 cm

단원종합문제 [08~10]

III 이차방정식

01
중요도 ☐ 손도 못댐 ☐ 과정 실수 ☐ 틀린 이유:

이차방정식 $2(x+3)(x-2)=3x^2+7$을 $-x^2+ax-b=0$의 꼴로 나타낼 때, 상수 a, b에 대하여 ab값을 구하면?

① 13   ② -13 ③ 26

④ -38 ⑤ 38

02
중요도 ☐ 손도 못댐 ☐ 과정 실수 ☐ 틀린 이유:

이차방정식 $x^2-3x+1=0$의 한 근이 a라고 할 때, $a+\dfrac{1}{a}$ 의 값은?

① 1   ② -1 ③ 3

④ -3 ⑤ 5

03
중요도 ☐ 손도 못댐 ☐ 과정 실수 ☐ 틀린 이유:

이차방정식 $x^2+3=a(1+4x)$가 중근을 가질 때, 양수 a 값과 그 중근의 합을 구하면?

① 1   ② $\dfrac{3}{2}$ ③ $\dfrac{9}{4}$

④ 3   ⑤ $\dfrac{11}{5}$

04
중요도 ☐ 손도 못댐 ☐ 과정 실수 ☐ 틀린 이유:

$4(x+a)^2=32$의 해가 $x=3\pm2\sqrt{b}$일 때, 유리수 a, b에 대하여 $a+b$의 값을 구하면?

① -2 ② -1 ③ 0

④ 1   ⑤ -2

05
중요도 ☐ 손도 못댐 ☐ 과정 실수 ☐ 틀린 이유:

이차방정식 $2(2x-1)^2=6k+2$가 해를 갖지 않도록 하는 상수 k의 값의 범위를 구하여라.

06
중요도 ☐ 손도 못댐 ☐ 과정 실수 ☐ 틀린 이유:

중근이 -5이고, x^2의 계수가 -1인 이차방정식으로 옳은 것은?

① $-x^2+5x+1$ ② $-x^2-5x+10=0$

③ $-x^2+10x+25=0$ ④ $-x^2-10x-25=0$

⑤ $-x^2-10x-25$

• 정답 및 풀이 24쪽

07 중요도 ☐ 손도 못댐 ☐ 과정 실수 ☐ 틀린 이유:

이차방정식 $3x^2+8x-13=0$의 근이 $x=\dfrac{A\pm\sqrt{B}}{3}$일 때, 유리수 A, B에 대하여 $A+B$의 값은?

① 21　　　　② 31　　　　③ 41
④ 51　　　　⑤ 61

08 중요도 ☐ 손도 못댐 ☐ 과정 실수 ☐ 틀린 이유:

이차방정식 $x^2-6x+3=0$의 한 근이 $x=a$일 때, $a^2-6a-11$의 값은?

① -14　　　② -13　　　③ -8
④ -7　　　⑤ 3

09 중요도 ☐ 손도 못댐 ☐ 과정 실수 ☐ 틀린 이유:

x에 관한 이차방정식 $3x^2+ax+2a-1=0$의 한 근이 -1일 때, 상수 a의 값은?

① -2　　　② -1　　　③ 1
④ 2　　　　⑤ 3

10 중요도 ☐ 손도 못댐 ☐ 과정 실수 ☐ 틀린 이유:

이차방정식 $x^2+2x-4=0$의 두 근을 a, b라 할 때, $(a^2+2a)(b^2+2b-1)+1$의 값은?

① -13　　　② -12　　　③ -11
④ 12　　　　⑤ 13

11 중요도 ☐ 손도 못댐 ☐ 과정 실수 ☐ 틀린 이유:

이차방정식 $2x^2-5=x(x-4)$의 두 근을 a, b라고 할 때, $a-b$의 값은? (단, $a>b$)

① -6　　　② -4　　　③ 2
④ 4　　　　⑤ 6

12 중요도 ☐ 손도 못댐 ☐ 과정 실수 ☐ 틀린 이유:

이차방정식 $x^2-6x+8=0$의 근 중에서 작은 근이 $ax^2-2x-a-5=0$의 근일 때, 상수 a의 값은?

① -3　　　② -2　　　③ 2
④ 3　　　　⑤ 4

13 중요도 ☐ 손도 못댐 ☐ 과정 실수 ☐ 틀린 이유:

이차방정식 $x^2-10x+p=0$이 중근을 가질 때, 상수 p의 값은?

① 5 ② 10 ③ 25
④ 50 ⑤ 100

14 중요도 ☐ 손도 못댐 ☐ 과정 실수 ☐ 틀린 이유:

이차방정식 $(x-a)^2=b$가 중근을 가질 때, 다음 중 반드시 성립하는 것은?

① $a>0$ ② $a<0$ ③ $b=0$
④ $b>0$ ⑤ $b<0$

15 중요도 ☐ 손도 못댐 ☐ 과정 실수 ☐ 틀린 이유:

다음 두 이차방정식의 공통인 근은?

$$x^2+5x-24=0, \ 3x^2-10x+3=0$$

① -8 ② -3 ③ 3
④ 8 ⑤ 11

16 중요도 ☐ 손도 못댐 ☐ 과정 실수 ☐ 틀린 이유:

이차방정식 $5(2x-1)+x^2-4=2(x-2)(x+3)$의 두 근 중 큰 근을 α라고 할 때, $2\alpha-8$의 값은?

① $4-2\sqrt{19}$ ② $4-\sqrt{19}$ ③ $4+\sqrt{19}$
④ $2\sqrt{19}$ ⑤ $8+2\sqrt{19}$

17 중요도 ☐ 손도 못댐 ☐ 과정 실수 ☐ 틀린 이유:

이차방정식 $x^2+ax+8=0$의 두 근의 차가 2일 때, 상수 a의 값은? (단, 두 근은 자연수)

① 8 ② 6 ③ 0
④ -6 ⑤ -8

18 중요도 ☐ 손도 못댐 ☐ 과정 실수 ☐ 틀린 이유:

지면으로부터 100 m 높이의 건물 꼭대기에서 초속 25 m로 쏘아 올린 물 로켓의 t초 후의 지면으로부터의 높이는 $(-5t^2+25t+100)$ m이다. 이 물 로켓이 처음으로 지면으로부터 높이가 130 m인 지점을 지나는 것은 쏘아 올린지 몇 초 후인가?

① 2초 후 ② 3초 후 ③ 4초 후
④ 5초 후 ⑤ 6초 후

19 중요도 ☐ 손도 못댐 ☐ 과정 실수 ☐ 틀린 이유:

그림과 같이 넓이가 $12x^2-xy-y^2$인 직사각형의 가로의 길이가 $3x-y$일 때, 이 직사각형의 둘레의 길이를 구하여라.

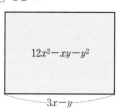

$12x^2-xy-y^2$

$3x-y$

20 중요도 ☐ 손도 못댐 ☐ 과정 실수 ☐ 틀린 이유:

이차방정식 $3x^2-6x+k=0$의 한 근이 다른 한 근의 5배일 때, 상수 k의 값을 구하여라.

① $\dfrac{1}{3}$ ② $-\dfrac{1}{3}$ ③ 2

④ $-\dfrac{5}{3}$ ⑤ $\dfrac{5}{3}$

21 중요도 ☐ 손도 못댐 ☐ 과정 실수 ☐ 틀린 이유:

$(2x-y)(2x-y-6)+5=0$일 때, 모든 $2x-y$의 값의 합을 구하여라.

22 중요도 ☐ 손도 못댐 ☐ 과정 실수 ☐ 틀린 이유:

이차방정식 $2x^2+ax-5=0$의 두 근 중 하나를 k라 할 때, $2k^2+ak+5$의 값을 구하여라.

23 중요도 ☐ 손도 못댐 ☐ 과정 실수 ☐ 틀린 이유:

이차방정식 $x^2+ax+b=0$의 두 근이 연속하는 양의 정수이고 두 근의 제곱의 차가 17일 때, $a+b$의 값을 구하여라.

24 🖊 서술형   중요도 ☐ 손도 못댐 ☐ 과정 실수 ☐ 틀린 이유:

그림과 같이 한 변의 길이가 18 cm인 정사각형 모양의 철판의 네 귀퉁이에서 크기가 같은 정사각형을 잘라내고 나머지로 뚜껑이 없는 직육면체 모양의 상자를 만들려고 한다. 상자의 밑넓이가 196 cm²가 되도록 할 때, 잘라내는 정사각형의 한 변의 길이를 구하여라.

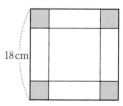

18 cm

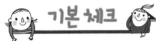

11 이차함수와 $y=ax^2$의 그래프

기본 체크

01

이차함수 $f(x)=x^2$에 대하여 다음 함숫값을 각각 구하여라.

(1) $f(-2)$ (2) $f(0)$

(3) $f\left(\dfrac{2}{3}\right)$ (4) $f(10)$

02

이차함수 $y=-x^2$의 그래프에 대하여 다음 □ 안에 알맞은 것을 써넣어라.

(1) □로 볼록하다.
(2) 꼭짓점은 (□, □)이다.
(3) □축에 대하여 대칭이다.

핵심 정리

이차함수

함수 $y=f(x)$에서 y가 x에 대한 이차식 $y=ax^2+bx+c$ ($a\neq0$, a, b, c는 상수)로 나타내어질 때, 이 함수를 x에 관한 이차함수라고 한다.

$f(x)=ax^2+bx+c$로 나타내기도 한다.

(이차방정식 : $ax^2+bx+c=0$, 이차함수 : $y=ax^2+bx+c$)

이차함수 $y=ax^2$의 그래프

① y축을 축으로 하고 ($x=0$) 원점을 꼭짓점으로 하는 포물선이다.
② y축에 대하여 대칭이다.

y축에 대칭인 곡선은 y축을 중심으로 접었을 때, 곡선이 완전히 포개어진다.

③ $a>0$이면 아래로 볼록하고 $a<0$이면 위로 볼록하다.
④ a의 절댓값이 클수록 그래프의 폭이 좁아진다. (오른쪽 그림의 $y=2x^2$의 그래프와 $y=\dfrac{1}{2}x^2$의 그래프를 비교해 보자.)
⑤ $y=-ax^2$의 그래프와 x축에 대하여 대칭이다.

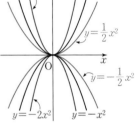

대표예제

· 정답 및 풀이 25쪽

01 다음 중 y가 x에 대한 이차함수인 것을 골라라.

(1) 밑변의 길이가 5, 높이가 $4x$인 삼각형의 넓이 y
(2) 한 변의 길이가 x인 정사각형의 둘레의 길이 y
(3) 길이가 40인 철사로 만든 직사각형의 가로의 길이 x와 세로의 길이 y
(4) 아랫변의 길이가 6, 윗변의 길이가 x, 높이가 $4x$인 사다리꼴의 넓이 y

풀이 각 함수를 식으로 나타내면 다음과 같다.

(1) $y=$ ☐ (2) $y=$ ☐ (3) $y=$ ☐ (4) $y=$ ☐

따라서 이차함수인 것은 ☐ 이다.

이차함수는 $y=$(이차식)의 꼴로 나타내어진다.

02 이차함수 $f(x)=x^2-3x$에서 다음 함숫값을 구하여라.

    (1) $f(3)$ (2) $f(-1)$

풀이 (1) $f(x)=x^2-3x$의 x에 □을 대입하면

           $f(3)=3^2-3\times3=$ □

       (2) $f(x)=x^2-3x$의 x에 □을 대입하면

           $f(-1)=(-1)^2-3\times(-1)=$ □

> 함수 $y=f(x)$에 대하여 $x=a$일 때, 함숫값은 $f(a)$이다.

03 다음 이차함수의 그래프에 대하여 물음에 답하여라.

ㄱ. $y=-5x^2$	ㄴ. $y=4x^2$
ㄷ. $y=\dfrac{1}{2}x^2$	ㄹ. $y=-4x^2$

  (1) 위로 볼록한 그래프를 모두 골라라.
  (2) 폭이 가장 좁은 그래프를 골라라.
  (3) x축에 대하여 대칭인 두 그래프를 골라라.

풀이 (1) 위로 볼록한 그래프를 갖는 이차함수는 이차항의 계수가 음수이므로 □, □

       (2) 폭이 가장 좁은 그래프는 이차항의 계수의 절댓값이 가장 큰 것이므로 □

       (3) x축에 대하여 대칭인 그래프를 갖는 이차함수는 이차항의 계수의 절댓값이 같고,
          부호는 반대이므로 □, □

> 이차함수 $y=ax^2$의 그래프
> ① a의 부호: 그래프의 모양을 결정한다.
> ② a의 절댓값: 그래프의 폭을 결정한다.

04 이차함수 $y=ax^2$의 그래프가 오른쪽 그림과 같을 때, 상수 a의 값을 구하여라.

풀이 $y=ax^2$의 그래프가 점 $(-2, 3)$를 지나므로

          □ $=$ □ a ∴ $a=$ □

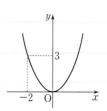

 포물선

이차함수의 그래프와 같은 모양의 곡선을 포물선이라고 한다.
① 축: 포물선은 선대칭도형이고, 그 대칭축을 포물선의 축이라 한다.   ② 꼭짓점: 포물선과 축과의 교점을 꼭짓점이라 한다.

어떤 교과서에나 나오는 문제

01 다음 중 y가 x에 관한 이차함수가 <u>아닌</u> 것은?

① $y=4x^2$
② $y=x(x+1)$
③ $y=x^2-2x+1$
④ $y=(x-2)^2$
⑤ $y=x^2-(x^2+x)$

02 이차함수 $f(x)=ax^2-2x+5$에서 $f(2)=3$일 때,
상수 a의 값을 구하여라.

03 다음 중 이차함수 $y=-\dfrac{3}{2}x^2$의 그래프 위에 있지
<u>않은</u> 점은?

① $(2,-6)$　　② $(4,-24)$　　③ $(0,0)$
④ $(-6,54)$　　⑤ $\left(-\dfrac{1}{2},-\dfrac{3}{8}\right)$

04 다음 이차함수 중 그 그래프가 아래로 볼록한 것은?
(정답 2개)

① $y=-x^2$　　② $y=\dfrac{2}{3}x^2$　　③ $y=-6x^2$
④ $y=-3x^2$　　⑤ $y=2x^2$

중요도 ☐ 손도 못댐 ☐ 과정 실수 ☐ 틀린 이유:

05 이차함수 $y=x^2$의 그래프에 대한 설명으로 옳은 것을 모두 고르면? (정답 2개)

① 위로 볼록하다.
② 꼭짓점의 좌표는 $(0, 0)$이다.
③ x축에 대하여 대칭이다.
④ $y=-x^2$의 그래프와 x축에 대하여 대칭이다.
⑤ $x>0$일 때, x의 값이 증가하면 y의 값은 감소한다.

중요도 ☐ 손도 못댐 ☐ 과정 실수 ☐ 틀린 이유:

06 이차함수 $y=3x^2$의 그래프와 x축에 대하여 대칭인 그래프의 식은?

① $y=-\dfrac{1}{3}x^2$ ② $y=-\dfrac{1}{3x^2}$

③ $y=-3x^2$ ④ $y=\dfrac{1}{3}x^2$

⑤ $y=x^2$

중요도 ☐ 손도 못댐 ☐ 과정 실수 ☐ 틀린 이유:

07 이차함수 $y=-2x^2$에서 x의 값이 증가할 때, y의 값이 감소하는 x의 값의 범위는?

① $x>0$ ② $x<0$ ③ $x<-2$
④ $x>-2$ ⑤ $-2<x<2$

중요도 ☐ 손도 못댐 ☐ 과정 실수 ☐ 틀린 이유:

08 그림과 같은 포물선을 그래프로 가지는 이차함수의 식은?

① $y=-\dfrac{3}{2}x^2$

② $y=-\dfrac{3}{4}x^2$

③ $y=\dfrac{2}{3}x^2$

④ $y=\dfrac{3}{4}x^2$

⑤ $y=\dfrac{3}{2}x^2$

시험에 꼭 나오는 문제

1 다음 중 이차함수가 <u>아닌</u> 것을 고르면?

① $y = 2x^2$ ② $y = x^2 - 3x - (x-1)^2$
③ $y = -x^2 + 7x + 4$ ④ $y = x(x-3)$
⑤ $y = 2(x-5)^2 + 3$

2 함수 $y = 4x^2 + 1 - x(ax+1)$이 이차함수일 때, 다음 중 상수 a의 값이 될 수 <u>없는</u> 것은?

① 2 ② 4 ③ 6
④ -1 ⑤ -2

3 이차함수 $f(x) = 2x^2 - x + 1$에서 $f(a) = 11$일 때, 정수 a의 값은?

① -2 ② -1 ③ 1
④ 2 ⑤ 3

4 다음 중 $y = -x^2$의 그래프 위의 점이 <u>아닌</u> 것은?

① $(0, 0)$ ② $(-1, 1)$ ③ $(2, -4)$
④ $(3, -9)$ ⑤ $(-4, -16)$

중요도 ☐ 손도 못댐 ☐ 과정 실수 ☐ 틀린 이유:

5 이차함수 $y=-x^2$의 그래프에 대한 설명으로 옳지 <u>않은</u> 것은?

① 꼭짓점의 좌표는 $(0, 0)$이다.
② 점 $(1, -1)$을 지난다.
③ 위로 볼록한 포물선이다.
④ $y=x^2$의 그래프와 y축에 대하여 대칭이다.
⑤ $x<0$일 때, x의 값이 증가하면 y의 값은 증가한다.

중요도 ☐ 손도 못댐 ☐ 과정 실수 ☐ 틀린 이유:

6 다음 이차함수의 그래프 중 폭이 가장 넓은 것은?

① $y=-x^2$　　② $y=\dfrac{1}{2}x^2$　　③ $y=-7x^2$

④ $y=-2x^2$　　⑤ $y=\dfrac{3}{2}x^2$

중요도 ☐ 손도 못댐 ☐ 과정 실수 ☐ 틀린 이유:

7 다음 이차함수의 그래프 중에서 아래로 볼록하면서 폭이 가장 좁은 것은?

① $y=-x^2$　　② $y=3x^2$　　③ $y=\dfrac{1}{2}x^2$

④ $y=-\dfrac{1}{4}x^2$　　⑤ $y=\dfrac{2}{3}x^2$

중요도 ☐ 손도 못댐 ☐ 과정 실수 ☐ 틀린 이유:

8 이차함수 $y=x^2$의 그래프가 (가)라고 할 때, 다음 중 (나)의 그래프로 적당한 이차함수는?

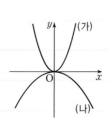

① $y=-x^2$　　② $y=-2x^2$

③ $y=3x^2$　　④ $y=-\dfrac{1}{2}x^2$

⑤ $y=\dfrac{1}{3}x^2$

중요도 ☐ 손도 못댐 ☐ 과정 실수 ☐ 틀린 이유:

9 이차함수 $y=ax^2$, $y=-2x^2$, $y=-\dfrac{3}{4}x^2$의 그래프가 그림과 같을 때, 다음 중 상수 a의 값이 될 수 있는 것은? (정답 2개)

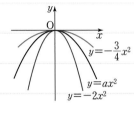

① -3　　　② $-\dfrac{7}{3}$　　　③ $-\dfrac{3}{2}$

④ $-\dfrac{4}{5}$　　　⑤ $-\dfrac{1}{4}$

중요도 ☐ 손도 못댐 ☐ 과정 실수 ☐ 틀린 이유:

10 다음 보기의 이차함수의 그래프에 대한 설명으로 옳지 않은 것은?

> **보기**
>
> ㄱ. $y=-4x^2$　　ㄴ. $y=\dfrac{1}{3}x^2$　　ㄷ. $y=-x^2$
>
> ㄹ. $y=-\dfrac{1}{4}x^2$　　ㅁ. $y=x^2$　　ㅂ. $y=3x^2$

① 위로 볼록한 그래프는 3개이다.
② 그래프의 폭이 가장 좁은 것은 ㄱ이다.
③ ㄷ과 ㅁ은 x축에 대하여 대칭이다.
④ 모두 원점을 지나는 포물선이다.
⑤ 모두 x축에 대하여 대칭이다.

중요도 ☐ 손도 못댐 ☐ 과정 실수 ☐ 틀린 이유:

11 이차함수 $y=-3x^2$의 그래프는 점 $(1, a)$를 지나고 $y=bx^2$의 그래프와 x축에 대하여 대칭이다. 이때 상수 a, b에 대하여 $b-a$의 값은?

① 2　　　　② 6　　　　③ 10
④ 14　　　　⑤ 18

중요도 ☐ 손도 못댐 ☐ 과정 실수 ☐ 틀린 이유:

12 다음 중 이차함수 $y=-\dfrac{1}{2}x^2$의 그래프에 대한 설명으로 옳은 것은?

① 점 $(-2, 2)$를 지난다.
② 축의 방정식은 $y=0$이다.
③ 아래로 볼록한 포물선이다.
④ 어떤 x의 값에 대하여도 $y \geq 0$이다.
⑤ $x>0$일 때 x의 값이 증가하면 y의 값은 감소한다.

중요도 ☐ 손도 못댐 ☐ 과정 실수 ☐ 틀린 이유:

13 이차함수 $y=ax^2$의 그래프가 두 점 $(2, 8)$, $(-3, k)$를 지날 때, 상수 k의 값은?

① 18   ② 12   ③ 6

④ -3 ⑤ -6

중요도 ☐ 손도 못댐 ☐ 과정 실수 ☐ 틀린 이유:

14 이차함수 $y=f(x)$의 그래프가 그림과 같을 때, $f(6)$의 값을 구하여라.

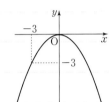

중요도 ☐ 손도 못댐 ☐ 과정 실수 ☐ 틀린 이유:

15 이차함수 $y=-\dfrac{3}{2}x^2$의 그래프가 두 점 $(-6, a)$, $(4, b)$를 지날 때, 상수 a, b에 대하여 $a-b$의 값은?

① -30 ② -28 ③ -26

④ -24 ⑤ -22

중요도 ☐ 손도 못댐 ☐ 과정 실수 ☐ 틀린 이유:

16 그림은 이차함수 $y=\dfrac{1}{4}x^2$의 그래프이고 두 점 A, B의 x 좌표가 각각 -2, 4이고 두 점 A, B에서 x축에 수선을 내릴 때 만나는 점을 C, D라고 하자. □ABDC의 넓이를 구하여라.

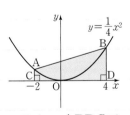

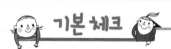 **이차함수와 $y=a(x-p)^2+q$ 의 그래프**

학습목표 • 이차함수 $y=ax^2+q$의 그래프, $y=a(x-p)^2$의 그래프, $y=a(x-p)^2+q$의 그래프의 성질을 이해한다.

기본 체크

01

다음 이차함수의 그래프의 꼭짓점의 좌표와 축의 방정식을 차례로 구하여라.

(1) $y=2x^2+1$

(2) $y=-5(x+5)^2$

02

다음 이차함수의 그래프를 x축의 방향으로 p만큼, y축의 방향으로 q만큼 평행이동한 그래프를 나타내는 이차함수의 식을 구하여라.

(1) $y=x^2$ $[p=2, q=3]$

(2) $y=-2x^2$ $[p=-1, q=2]$

 **핵심 정리**

🌀 이차함수 $y=ax^2+q$의 그래프

↳ $y=ax^2$의 그래프를 y축의 방향으로 q만큼 평행이동한 것

① y축을 축으로 한다.

(축의 방정식 : $x=0$)

② 점 $(0, q)$를 꼭짓점으로 하는 포물선이다.

🌀 이차함수 $y=a(x-p)^2$의 그래프

① 직선 $x=p$를 축으로 한다. ↳ $y=ax^2$의 그래프를 x축의 방향으로 p만큼 평행이동한 것

② 점 $(p, 0)$를 꼭짓점으로 하는 포물선이다.

🌀 이차함수 $y=a(x-p)^2+q$의 그래프

↳ $y=ax^2$의 그래프를 x축의 방향으로 p만큼, y축의 방향으로 q만큼 평행이동한 것

① 직선 $x=p$를 축으로 한다.

② 점 (p, q)를 꼭짓점으로 하는 포물선이다.

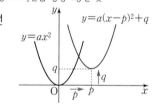

🌟참고 이차함수 $y=a(x-p)^2+q$의 그래프를 x축의 방향으로 m만큼, y축의 방향으로 n만큼 평행이동한 그래프의 식은 $y=a(x-p-m)^2+q+n$

대표예제

• 정답 및 풀이 27쪽

01 이차함수 $y=\dfrac{1}{2}x^2+c$의 그래프가 점 $(2, 4)$를 지날 때, 꼭짓점의 좌표를 구하여라.

풀이 주어진 식에 점 $(2, 4)$를 대입하면 $c=$ ▢ 이므로

$y=\dfrac{1}{2}x^2+$ ▢

따라서 꼭짓점의 좌표는 ▢ 이다.

> 이차함수 $y=ax^2$의 그래프를 y축의 방향으로 q만큼 평행이동하여도 축은 변하지 않는다.
> (축의 방정식 : $x=0$)

02 이차함수 $y=-2x^2$의 그래프를 x축의 방향으로 p만큼 평행이동한 그래프의 식이 $y=-2x^2-12x-18$일 때, 상수 p의 값을 구하여라.

풀이 이차함수 $y=-2x^2$의 그래프를 x축의 방향으로 p만큼 평행이동한 그래프의 식은

$y=\boxed{}$, 즉 $y=\boxed{}$

이 식이 $y=-2x^2-12x-18$과 같으므로

$\boxed{}=-12$에서 $p=\boxed{}$

> 이차함수의 그래프를 평행이동해도 이차항의 계수는 변하지 않으므로 그래프의 모양과 폭은 변하지 않는다.

03 이차함수 $y=-5(x+2)^2$의 그래프에서 x의 값이 증가할 때, y의 값도 증가하는 x의 값의 범위를 구하여라.

풀이 $y=-5(x+2)^2$의 그래프는 축의 방정식이 $x=\boxed{}$이고 위로 볼록한 포물선이므로

$\boxed{}$일 때, x의 값이 증가하면 y의 값도 증가한다.

> 이차함수의 그래프를 x축의 방향으로 평행이동하면 축이 변하므로 이차함수의 증가, 감소하는 x의 값의 범위가 변한다.

04 이차함수 $y=3x^2$의 그래프를 x축의 방향으로 2만큼, y축의 방향으로 -4만큼 평행이동하면 $y=3x^2+ax+b$가 된다. 이때 상수 a, b에 대하여 $a+b$의 값을 구하여라.

풀이 이차함수 $y=3x^2$의 그래프를 x축의 방향으로 2만큼, y축의 방향으로 -4만큼 평행이동한 이차함수의 식은

$y=\boxed{}$, 즉 $y=\boxed{}$

이 식이 $y=3x^2+ax+b$와 같으므로 $a=\boxed{}$, $b=\boxed{}$

$\therefore a+b=\boxed{}$

> 이차함수 $y=ax^2$의 그래프를 x축으로 p만큼 y축으로 q만큼 평행이동하면 $y=a(x-p)^2+q$의 그래프가 된다.

05 이차함수 $y=4(x-3)^2+1$의 그래프에 대하여 다음을 구하여라.

(1) x축에 대하여 대칭이동 하여라.
(2) y축에 대하여 대칭이동 하여라.

풀이 (1) x축에 대하여 대칭이동하려면, y대신 $\boxed{}$를 대입한다.

그러므로 $y=-4\left(x+\boxed{}\right)^2+\boxed{}$이 된다.

(2) y축에 대하여 대칭이동하려면, x대신 $\boxed{}$를 대입한다.

그러므로 $y=4\left(x+\boxed{}\right)^2+\boxed{}$이 된다.

🐭 **이차함수 $y=a(x-p)^2+q$의 그래프의 대칭이동**

① x축에 대하여 대칭이동 : y대신 $-y$를 대입
$\Rightarrow -y=a(x-p)^2+q \to y=-a(x-p)^2-q$

② y축에 대하여 대칭이동 : x대신 $-x$를 대입
$\Rightarrow -y=a(-x-p)^2+q \to y=a(x+p)^2+q$

어떤 교과서에나 나오는 문제

01 이차함수 $y=-2x^2$의 그래프를 y축의 방향으로 4
만큼 평행이동하면 점 $(-2, a)$를 지난다고 한다.
이때 a의 값은?

① -12 ② -8 ③ -4
④ -2 ⑤ 0

02 이차함수 $y=4x^2+q$의 그래프가 점 $(3, 4)$를 지날
때, 상수 q의 값을 구하여라.

03 이차함수 $y=-3x^2+6$의 그래프에 대한 다음 설명
중 옳은 것은? (정답 2개)

① 꼭짓점의 좌표는 $(-3, 6)$이다.
② y축에 대하여 대칭이다.
③ 점 $(-1, -9)$를 지난다.
④ 축의 방정식은 $x=6$이다.
⑤ 이차함수 $y=-3x^2$의 그래프를 y축의 방향으로
6만큼 평행이동한 그래프이다.

04 이차함수 $y=-x^2$의 그래프를 x축의 방향으로
-4만큼 평행이동하면 점 $(1, a)$를 지난다. 이때
상수 a의 값을 구하여라.

중요도 ☐ 손도 못댐 ☐ 과정 실수 ☐ 틀린 이유:

05 이차함수 $y=-\dfrac{1}{3}(x+1)^2$의 그래프에 대한 다음 설명 중 옳지 <u>않은</u> 것은?

① 위로 볼록하다.
② 꼭짓점의 좌표는 $(-1,\ 0)$이다.
③ 제 3, 4사분면을 지난다.
④ 축의 방정식은 $x=-1$이다.
⑤ 이차함수 $y=-\dfrac{1}{3}x^2$의 그래프를 x축의 방향으로 1만큼 평행이동한 그래프이다.

중요도 ☐ 손도 못댐 ☐ 과정 실수 ☐ 틀린 이유:

06 $y=2(x-p)^2$의 그래프가 점 $(2,\ 8)$을 지날 때, 상수 p의 값을 구하여라. (단, $p>0$)

중요도 ☐ 손도 못댐 ☐ 과정 실수 ☐ 틀린 이유:

07 이차함수 $y=-2x^2$의 그래프를 x축의 방향으로 2만큼, y축의 방향으로 -4만큼 평행이동하면 점 $(-1,\ a)$를 지난다. 이때 상수 a의 값을 구하여라.

중요도 ☐ 손도 못댐 ☐ 과정 실수 ☐ 틀린 이유:

08 이차함수 $y=-(x+4)^2-7$의 그래프에 대한 다음 설명 중 옳지 <u>않은</u> 것은?

① 위로 볼록하다.
② 꼭짓점의 좌표는 $(4,\ -7)$이다.
③ 점 $(-2,\ -11)$을 지난다.
④ 축의 방정식은 $x=-4$이다.
⑤ 이차함수 $y=-x^2$의 그래프와 폭이 같다.

1 이차함수 $y=4x^2+1$의 그래프에 대한 설명으로 옳지 <u>않은</u> 것은?

① 점 $(1, 5)$을 지난다.
② y축에 대하여 대칭이다.
③ 축의 방정식은 $x=0$이다.
④ 꼭짓점의 좌표는 $(0, -1)$이다.
⑤ $y=4x^2$의 그래프를 y축의 방향으로 1만큼 평행이동한 그래프이다.

2 다음 중 이차함수 $y=2x^2-5$의 그래프를 평행이동하면 포갤 수 있는 그래프의 식은?

① $y=\dfrac{1}{2}x^2+1$ ② $y=2x^2-1$ ③ $y=x^2$

④ $y=-3x^2+1$ ⑤ $y=3x^2+1$

3 이차함수 $y=-3x^2$의 그래프를 y축의 방향으로 q만큼 평행이동하면 점 $(2, -6)$을 지난다. 이때 이 그래프의 꼭짓점의 좌표는?

① $(-6, 0)$ ② $(0, -6)$ ③ $(0, -4)$
④ $(0, 6)$ ⑤ $(4, 0)$

4 이차함수 $y=(x-3)^2$의 그래프에 대한 다음 설명 중 옳지 <u>않은</u> 것은?

① 축의 방정식은 $x=3$이다.
② 꼭짓점의 좌표는 $(0, 1)$이다.
③ y축과 만나는 점의 좌표는 $(0, 9)$이다.
④ x축과 만나는 점의 좌표는 $(3, 0)$이다.
⑤ $y=x^2$의 그래프를 x축의 방향으로 3만큼 평행이동한 그래프이다.

중요도 ☐ 손도 못댐 ☐ 과정 실수 ☐ 틀린 이유:

5 이차함수 $y=ax^2$의 그래프를 x축의 방향으로 3만큼 평행이동하면 점 $(1, -2)$를 지난다고 한다. 이때 상수 a의 값은?

① $-\dfrac{5}{2}$　　② -2　　③ $-\dfrac{3}{2}$

④ -1　　⑤ $-\dfrac{1}{2}$

중요도 ☐ 손도 못댐 ☐ 과정 실수 ☐ 틀린 이유:

6 이차함수 $y=a(x-p)^2$의 그래프가 그림과 같을 때, 상수 a, p에 대하여 $a+p$의 값을 구하여라.

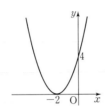

중요도 ☐ 손도 못댐 ☐ 과정 실수 ☐ 틀린 이유:

7 이차함수 $y=-5(x+2)^2$의 그래프에서 x의 값이 증가할 때, y의 값도 증가하는 x의 값의 범위는?

① $x>-5$　　② $x<-2$　　③ $x>5$
④ $x<5$　　⑤ $x>-2$

중요도 ☐ 손도 못댐 ☐ 과정 실수 ☐ 틀린 이유:

8 다음 이차함수의 그래프 중 x축과 만나지 <u>않는</u> 것은?

① $y=4x^2$　　　② $y=-4x^2+2$
③ $y=-4(x+1)^2$　　　④ $y=2(x+1)^2+3$
⑤ $y=-5(x-2)^2+1$

9 이차함수 $y=-3(x-1)^2-1$의 그래프가 지나지 <u>않는</u> 사분면은?

① 제 1, 2사분면   ② 제 1, 3사분면
③ 제 2, 3사분면   ④ 제 2, 4사분면
⑤ 제 3, 4사분면

10 다음 이차함수 중 그 그래프의 축이 가장 왼쪽에 있는 것은?

① $y=-x^2$ ② $y=\dfrac{1}{2}(x-2)^2$
③ $y=3x^2+4$ ④ $y=-2(x+1)^2-7$
⑤ $y=(x+3)^2+2$

11 이차함수 $y=-a(x-p)^2+3$의 그래프가 직선 $x=-2$를 축으로 하고, 점 $(0, 5)$를 지날 때, 상수 a의 값은?

① $-\dfrac{3}{2}$ ② -1 ③ $-\dfrac{1}{2}$
④ 0 ⑤ $\dfrac{1}{2}$

12 이차함수 $y=-(x-2)^2+1$의 그래프를 x축의 방향으로 p만큼, y축의 방향으로 q만큼 평행이동하면 이차함수 $y=-x^2$의 그래프와 완전히 포개어진다. 이때 상수 p, q의 합 $p+q$의 값은?

① -3 ② -2 ③ -1
④ 2 ⑤ 3

13 이차함수 $y=(x+1)^2+4$의 그래프를 x축의 방향으로 5만큼, y축의 방향으로 -1만큼 평행이동시킨 포물선의 꼭짓점의 좌표는?

중요도 ☐ 손도 못댐 ☐ 과정 실수 ☐ 틀린 이유:

① $(-1, 1)$ ② $(1, -1)$ ③ $(-4, 3)$

④ $(4, 3)$ ⑤ $(3, -4)$

14 일차함수 $y=ax+b$의 그래프가 그림과 같을 때, 다음 중 이차함수 $y=ax^2+b$의 그래프가 될 수 있는 것은?

중요도 ☐ 손도 못댐 ☐ 과정 실수 ☐ 틀린 이유:

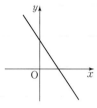

 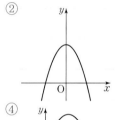

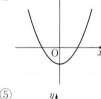

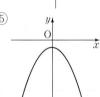

15 이차함수 $y=a(x+p)^2+5$의 그래프는 직선 $x=-1$을 축으로 하고, 점 $(-4, -13)$을 지난다. 이 때 상수 a, p에 대하여 $a+p$의 값을 구하여라.

중요도 ☐ 손도 못댐 ☐ 과정 실수 ☐ 틀린 이유:

16 이차함수 $y=a(x-p)^2+q$의 그래프가 제1, 2, 4사분면만을 지난다고 할 때, 상수 a, p, q의 부호로 옳은 것은?

중요도 ☐ 손도 못댐 ☐ 과정 실수 ☐ 틀린 이유:

① $a>0$, $p<0$, $q<0$ ② $a>0$, $p>0$, $q<0$

③ $a>0$, $p>0$, $q>0$ ④ $a<0$, $p>0$, $q>0$

⑤ $a<0$, $p<0$, $q>0$

이차함수와 $y=ax^2+bx+c$의 그래프

학습목표
- 이차함수 $y=ax^2+bx+c$의 그래프를 $y=a(x-p)^2+q$의 꼴로 나타낼 수 있다.
- 이차함수 $y=ax^2+bx+c$의 그래프의 성질을 이해한다.

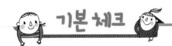

01

다음은 이차함수 $y=x^2+6x+4$를 $y=a(x-p)^2+q$의 꼴로 고치는 과정이다. ☐ 안에 알맞은 수를 차례대로 써넣어라.

$$y=x^2+6x+4$$
$$=(x^2+6x)+4$$
$$=(x^2+6x+\boxed{})-\boxed{}+4$$
$$=(x+\boxed{})^2-\boxed{}$$

그러므로 이차함수 $y=x^2+6x+4$의 꼭짓점의 좌표는 ($\boxed{}$, $\boxed{}$)이다.

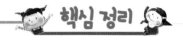

이차함수 $y=ax^2+bx+c$의 그래프

$y=a(x-p)^2+q$의 꼴로 고쳐서 그래프를 그릴 수 있다.

① 꼭짓점의 좌표: $(p,\ q)$
② 축의 방정식: 직선 $x=p$를 축으로 하는 포물선
③ 점 $(0,\ c)$를 지난다.

이차함수 $y=ax^2+bx+c$의 그래프의 성질

① $a>0$이면 아래로 볼록하고, $a<0$이면 위로 볼록하다.
② 두 이차함수의 이차항의 계수 a의 값이 같으면 평행이동하여 두 이차함수의 그래프를 완전히 포갤 수 있다.
③ 이차함수 $y=ax^2+bx+c$의 그래프에서 증가, 감소하는 범위는 $y=ax^2+bx+c$를 $y=a(x-p)^2+q$로 변형한 후 축 $x=p$를 기준으로 구한다.

• 정답 및 풀이 29쪽

01

이차함수 $y=-x^2+4x-3$의 그래프의 축과 꼭짓점의 좌표를 각각 구하여라.

풀이 이차함수 $y=-x^2+4x-3$을 $y=a(x-p)^2+q$의 꼴로 바꾸면
$$y=-x^2+4x-3$$
$$=-(x^2-4x)-3$$
$$=-(x^2-4x+4)+\boxed{}-3$$
$$=-(x-2)^2+\boxed{}$$

따라서 이차함수 $y=-x^2+4x-3$의 그래프는 직선 $x=\boxed{}$를 축으로 하고

점 $\boxed{}$을 꼭짓점으로 하는 $\boxed{}$로 볼록한 포물선이다.

> $y=ax^2+bx+c$의 꼴의 그래프를 $y=a(x-p)^2+q$의 꼴로 바꾸어, 꼭짓점의 좌표와 그래프의 축을 구한다.

02 이차함수 $y=x^2$의 그래프를 평행이동하여 그 꼭짓점이 $(2, 1)$에 오도록 하였을 때, 이 새로운 포물선을 나타내는 이차함수를 구하여 $y=ax^2+bx+c$의 꼴로 나타내어라.

풀이 $y=x^2$의 그래프를 평행이동하여 생긴 새로운 포물선은 꼭짓점이 $(2, 1)$이므로

이를 $y=a(x-p)^2+q$의 꼴의 식으로 나타내면

$y=$ ⬚

이 식을 $y=ax^2+bx+c$의 꼴로 나타내면

$y=$ ⬚

> 그래프의 꼭짓점의 좌표를 알 때 이차함수의 식을 나타내는 방법을 생각해 본다.

03 이차함수 $y=ax^2+bx+c$의 그래프가 오른쪽 그림과 같이 점 $(0, 1)$을 지나고 꼭짓점의 좌표가 $(2, 3)$일 때, 이 이차함수의 식을 구하여라.

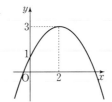

풀이 꼭짓점의 좌표가 $(2, 3)$이므로 이차함수의 식을

$y=a(x-$ ⬚ $)^2+$ ⬚ 으로 나타낼 수 있다.

이 그래프가 점 $(0, 1)$을 지나므로

$1=a(0-$ ⬚ $)^2+$ ⬚, 즉 $a=$ ⬚

따라서 구하는 이차함수의 식은

$y=-\dfrac{1}{2}(x-$ ⬚ $)^2+$ ⬚

$\quad =-\dfrac{1}{2}(x^2-$ ⬚ $x+$ ⬚ $)+$ ⬚

$\quad =$ ⬚

이차함수 $y=ax^2+bx+c$의 그래프에서 a, b, c의 부호

(1) a의 부호 : 그래프의 모양에 따라 결정
　① 아래로 볼록하면 $a>0$　　② 위로 볼록하면 $a<0$

(2) b의 부호 : 축의 위치에 따라 결정
　① 축이 y축의 왼쪽에 있으면 a와 b의 부호는 같다.　　② 축이 y축이면 $b=0$　　③ 축이 y축의 오른쪽에 있으면 a와 b의 부호는 다르다.

(3) c의 부호 : y축과 만나는 위치에 따라 결정
　① x축보다 위에 있으면 $c>0$　　② 원점을 지나면 $c=0$　　③ x축보다 아래에 있으면 $c<0$

어떤 교과서에나 나오는 문제

중요도 ☐ 손도 못댐 ☐ 과정 실수 ☐ 틀린 이유:

01 이차함수 $y=2x^2-4x+5$를 $y=a(x-p)^2+q$의
꼴로 고쳤을 때, $a+p+q$의 값은?

① 2   ② 3   ③ 4
④ 5   ⑤ 6

중요도 ☐ 손도 못댐 ☐ 과정 실수 ☐ 틀린 이유:

02 이차함수 $y=x^2+10x+17$의 꼭짓점의 좌표는?

① $(-5, -8)$ ② $(5, -8)$ ③ $(-5, 17)$
④ $(-5, 8)$ ⑤ $(5, 8)$

중요도 ☐ 손도 못댐 ☐ 과정 실수 ☐ 틀린 이유:

03 이차함수 $y=2x^2-x+c$의 그래프가 점 $(1, -6)$
을 지날 때, y절편은?

① -7 ② -6 ③ -5
④ -4 ⑤ -3

중요도 ☐ 손도 못댐 ☐ 과정 실수 ☐ 틀린 이유:

04 다음 중 이차함수의 축이 가장 오른쪽에 있는 것은?

① $y=x^2-1$ ② $y=-(x+2)^2$
③ $y=4(x-1)^2+1$ ④ $y=x^2-6x+9$
⑤ $y=-2x^2-4x$

출제율 100% 기본기 쌓기

05 이차함수 $y=x^2-6x+a$의 꼭짓점이 x축 위에 있을 때, 상수 a의 값을 구하여라.

06 $y=-\dfrac{1}{3}x^2+2x-1$의 그래프에서 x의 값이 증가할 때, y의 값도 증가하는 x의 값의 범위는?

① $x>1$ ② $x<-1$
③ $x>3$ ④ $x<3$
⑤ $x<-3$

07 이차함수 $y=2x^2+8x+9$의 그래프는 $y=2x^2$의 그래프를 x축의 방향으로 p만큼, y축의 방향으로 q만큼 평행이동한 것이다. 이때 상수 p, q의 값을 각각 구하여라.

08 그림은 직선 $x=1$을 축으로 하는 이차함수 $y=-3x^2+bx+c$의 그래프이다. 상수 b, c의 값을 각각 구하여라.

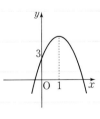

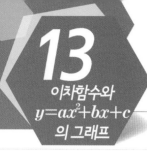

시험에 꼭 나오는 문제

1 다음 이차함수의 그래프 중 꼭짓점이 제 4사분면 위에 있는 것은?

① $y=x^2-2x+3$ ② $y=2x^2+8x$

③ $y=x^2+6x-1$ ④ $y=-2x^2+4x+1$

⑤ $y=-3x^2+12x-13$

2 이차함수 $y=2x^2+kx-4$의 그래프의 축의 방정식이 $x=-3$일 때, 상수 k의 값은?

① 6   ② 8   ③ 9

④ 10   ⑤ 12

3 이차함수 $y=x^2+ax+b$의 그래프의 꼭짓점의 좌표가 $(1, -2)$일 때, $a+b$의 값은?

① -3 ② -1 ③ 1

④ 3   ⑤ 5

4 이차함수 $y=x^2+ax-6$의 그래프가 점 $(1, -3)$을 지날 때, 꼭짓점의 좌표를 구하여라.

• 정답 및 풀이 30쪽

중요도 ☐ 손도 못댐 ☐ 과정 실수 ☐ 틀린 이유:

5 이차함수 $y=-3x^2+6x+9$의 그래프에 대한 설명으로 옳은 것은? (정답 2개)

① 꼭짓점의 좌표는 $(-1, 12)$이다.

② 직선 $x=-1$을 축으로 한다.

③ y축과 만나는 점의 y좌표는 12이다.

④ $x>1$일 때, x의 값이 증가하면 y의 값은 감소한다.

⑤ $y=-3x^2$의 그래프를 x축의 방향으로 1만큼, y축의 방향으로 12만큼 평행이동한 것이다.

중요도 ☐ 손도 못댐 ☐ 과정 실수 ☐ 틀린 이유:

6 이차함수 $y=x^2-2mx-8$의 그래프가 이차함수 $y=\dfrac{1}{2}x^2+5x-\dfrac{1}{2}$의 그래프의 꼭짓점을 지날 때, 상수 m의 값은?

① -3　　② $-\dfrac{1}{2}$　　③ -2

④ $\dfrac{3}{2}$　　⑤ 3

중요도 ☐ 손도 못댐 ☐ 과정 실수 ☐ 틀린 이유:

7 이차함수 $y=-2x^2+4x+6$의 그래프가 x축과 만나는 두 점의 x좌표를 p, q라고 할 때, $p-q$의 값은? (단, $p>q$)

① 1　　② 2　　③ 3
④ 4　　⑤ 5

중요도 ☐ 손도 못댐 ☐ 과정 실수 ☐ 틀린 이유:

8 이차함수 $y=2x^2-4x+1$의 그래프가 지나지 <u>않는</u> 사분면은?

① 제 1사분면　② 제 2사분면　③ 제 3사분면
④ 제 4사분면　⑤ 모든 사분면을 지난다.

중요도 ☐　손도 못댐 ☐　과정 실수 ☐　틀린 이유:

9 이차함수 $y=-x^2-2ax+1$의 그래프에서 축의 방정식이 $x=1$일 때, 이 그래프의 꼭짓점의 y좌표는?

① 1　　　② 2　　　③ 3
④ 4　　　⑤ 5

중요도 ☐　손도 못댐 ☐　과정 실수 ☐　틀린 이유:

10 이차함수 $y=2x^2-5x+k$의 그래프가 x축과 만나는 점의 x좌표가 2일 때, 이 그래프가 y축과 만나는 점의 y좌표는? (단, k는 상수)

① -4　　② -2　　③ 0
④ 2　　　⑤ 4

중요도 ☐　손도 못댐 ☐　과정 실수 ☐　틀린 이유:

11 두 이차함수 $y=x^2-ax+1$과 $y=\dfrac{1}{2}x^2-3x+b$의 그래프의 꼭짓점이 일치할 때, ab의 값은?

① -23　　② -22　　③ -21
④ -20　　⑤ -19

중요도 ☐　손도 못댐 ☐　과정 실수 ☐　틀린 이유:

12 이차함수 $y=-x^2+4x+p$의 그래프의 꼭짓점이 직선 $2x+3y-1=0$ 위에 있을 때, 상수 p의 값은?

① -1　　② -2　　③ -3
④ -4　　⑤ -5

• 정답 및 풀이 30쪽

13 중요도 ☐ 손도 못댐 ☐ 과정 실수 ☐ 틀린 이유:

이차함수 $y=-2x^2+4x+1$의 그래프를 x축의 방향으로 -1만큼 평행이동하였더니 $(-1, k)$를 지났다. 이때 상수 k의 값은?

① 1 　　　② 2 　　　③ 3
④ 4 　　　⑤ 5

14 중요도 ☐ 손도 못댐 ☐ 과정 실수 ☐ 틀린 이유:

다음 이차함수 중 그 그래프가 모든 사분면을 지나는 것은?

① $y=-x^2-1$ 　　② $y=-(x+1)^2+1$
③ $y=x^2-2x-4$ 　　④ $y=-2x^2+6x-1$
⑤ $y=-3x^2+6x$

15 중요도 ☐ 손도 못댐 ☐ 과정 실수 ☐ 틀린 이유:

다음 중 그림과 같은 포물선을 그래프로 가지는 이차함수의 식은?

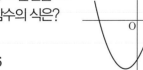

① $y=-x^2-4x$
② $y=x^2+8x+16$
③ $y=2x^2-4x-1$
④ $y=-3x^2+6x+5$
⑤ $y=4x^2+8x-5$

16 중요도 ☐ 손도 못댐 ☐ 과정 실수 ☐ 틀린 이유:

이차함수 $y=ax^2+bx+c$의 그래프가 그림과 같을 때, 다음 중 a, b, c의 부호로 옳은 것은?

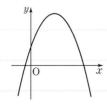

① $a>0, b>0, c>0$
② $a>0, b<0, c>0$
③ $a<0, b>0, c>0$
④ $a<0, b<0, c>0$
⑤ $a<0, b<0, c<0$

단원종합문제 [11~13]

IV 이차함수와 그래프

01
중요도 □ 손도 못댐 □ 과정 실수 □ 틀린 이유:

다음 중 y가 x에 대한 이차함수가 <u>아닌</u> 것은?

① $y = -\dfrac{x^2}{2}$ ② $y = x^2 - (x+2)^2$

③ $y = x^2 + 2x$ ④ $y = \dfrac{1-x^2}{3}$

⑤ $y = 3 - x - x^2$

02
중요도 □ 손도 못댐 □ 과정 실수 □ 틀린 이유:

이차함수 $y = x^2$, $y = -x^2$의 그래프가 그림과 같을 때, 다음 중 이차함수 $y = -\dfrac{1}{2}x^2$의 그래프로 알맞은 것은?

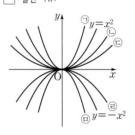

① ㉠ ② ㉡
③ ㉢ ④ ㉣ ⑤ ㉤

03
중요도 □ 손도 못댐 □ 과정 실수 □ 틀린 이유:

이차함수 $y = ax^2 + q$의 그래프가 그림과 같을 때, 상수 a, p에 대하여 $3a + q$의 값은?

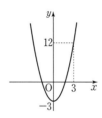

① 1 ② 2
③ 3 ④ 4
⑤ 5

04
중요도 □ 손도 못댐 □ 과정 실수 □ 틀린 이유:

다음 이차함수의 그래프 중 축이 가장 왼쪽에 있는 것은?

① $y = x^2 - 3$ ② $y = -(x+1)^2$
③ $y = 4(x+4)^2 - 1$ ④ $y = x^2 - x - 1$
⑤ $y = \dfrac{1}{5}x^2 + x + 2$

05
중요도 □ 손도 못댐 □ 과정 실수 □ 틀린 이유:

이차함수 $y = -2(x-3)^2 + 1$의 그래프에 대한 설명 중 옳지 <u>않은</u> 것은?

① $y = -2x^2$의 그래프와 모양이 같다.
② 꼭짓점의 좌표는 $(3, 1)$이다.
③ x축과 두 점에서 만난다.
④ 축의 방정식은 $x = 3$이다.
⑤ $x < 3$일 때, x의 값이 증가하면 y의 값은 감소한다.

06
중요도 □ 손도 못댐 □ 과정 실수 □ 틀린 이유:

다음 이차함수의 그래프 중 위로 볼록하고 꼭짓점이 제 3 사분면 위에 있는 것은?

① $y = x^2 - 5$ ② $y = -2(x+4)^2$
③ $y = \dfrac{2}{3}(x-2)^2 - 6$ ④ $y = -(x+7)^2 - 1$
⑤ $y = -3(x+2)^2 + 4$

07
중요도 □ 손도 못댐 □ 과정 실수 □ 틀린 이유:

이차함수 $y = -\dfrac{1}{2}x^2$의 그래프를 x축의 방향으로 1만큼, y축의 방향으로 q만큼 평행이동하면 점 $(3, -6)$을 지난다. 이때 상수 q의 값은?

① -6 ② -5 ③ -4
④ -1 ⑤ 3

08

중요도 ☐ 손도 못댐 ☐ 과정 실수 ☐ 틀린 이유:

오른쪽 그림과 같은 이차함수 $y=-x^2+2x+3$의 그래프에서 꼭짓점을 P, x축과 만나는 두 점을 A, B라 할 때, △PAB의 넓이는?

① 16
② 14
③ 12
④ 8
⑤ 4

09

중요도 ☐ 손도 못댐 ☐ 과정 실수 ☐ 틀린 이유:

이차함수 $y=-x^2+6x-9$의 그래프에 대한 다음 설명 중 옳은 것은?

① $y=-3x^2$의 그래프를 평행이동한 그래프이다.
② 꼭짓점의 좌표는 $(-3, 0)$이다.
③ y축과 $(0, 9)$에서 만난다.
④ 제 1, 2사분면을 지난다.
⑤ $x<3$일 때, x의 값이 증가하면 y의 값은 증가한다.

10

중요도 ☐ 손도 못댐 ☐ 과정 실수 ☐ 틀린 이유:

이차함수 $y=-x^2+2mx$의 꼭짓점의 좌표가 $(m, 9)$일 때, 상수 m의 값은? (단, $m<0$)

① -3
② -1
③ 1
④ 3
⑤ 5

11

중요도 ☐ 손도 못댐 ☐ 과정 실수 ☐ 틀린 이유:

이차함수 $y=-3x^2+6ax-b$의 꼭짓점의 좌표가 $(1, 5)$일 때, 상수 a, b의 곱 ab의 값은?

① -8
② -2
③ 2
④ 5
⑤ 8

12

중요도 ☐ 손도 못댐 ☐ 과정 실수 ☐ 틀린 이유:

원점을 꼭짓점으로 하는 포물선 두 점 $(3, 1)$, $(-6, m)$을 지날 때, m의 값을 구하여라.

13

중요도 ☐ 손도 못댐 ☐ 과정 실수 ☐ 틀린 이유:

이차함수 $y=ax^2+bx+c$의 그래프가 그림과 같을 때, 다음 중 옳지 않은 것은?

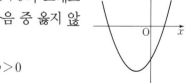

① $a>0$
② $b>0$
③ $ac<0$
④ $bc>0$
⑤ $abc<0$

14

중요도 ☐ 손도 못댐 ☐ 과정 실수 ☐ 틀린 이유:

이차함수 $y=3x^2-12x+4$를 $y=3(x-p)^2+q$의 꼴로 나타낼 때, 상수 p, q에 대하여 $2p-q$의 값은?

① -6
② -4
③ 0
④ 8
⑤ 12

15 중요도 ☐ 손도 못댐 ☐ 과정 실수 ☐ 틀린 이유:

이차함수 $y = -\dfrac{1}{2}x^2 - x + k$의 꼭짓점의 좌표가 $\left(-1, \dfrac{5}{2}\right)$일 때, 상수 k의 값을 구하여라.

16 중요도 ☐ 손도 못댐 ☐ 과정 실수 ☐ 틀린 이유:

두 이차함수 $y = x^2 + m$과 $y = -\dfrac{1}{4}x^2 + n$의 그래프가 그림과 같을 때, $\square ABCD$의 넓이를 구하여라.

17 🖊 서술형 중요도 ☐ 손도 못댐 ☐ 과정 실수 ☐ 틀린 이유:

이차함수 $y = 2x^2 - 8x + 5$의 그래프를 x축의 방향으로 3만큼 평행이동 뒤, 이 그래프를 다시 y축에 대하여 대칭이동 하였다. 이때의 그래프가 나타내는 이차함수의 식을 구하여라.

18 중요도 ☐ 손도 못댐 ☐ 과정 실수 ☐ 틀린 이유:

이차함수 $y = x^2 - 2x + k$의 그래프의 꼭짓점이 직선 $y = x + 3$ 위에 있을 때, 상수 k의 값을 구하여라.

19 🖊 서술형 중요도 ☐ 손도 못댐 ☐ 과정 실수 ☐ 틀린 이유:

그림은 이차함수 $y = ax^2 - x + b$의 그래프이다. 이 이차함수의 꼭짓점의 좌표를 구하여라.

20 중요도 ☐ 손도 못댐 ☐ 과정 실수 ☐ 틀린 이유:

이차함수 $y = 3x^2 - 18x + 11$의 그래프를 x축의 방향으로 p만큼, y축의 방향으로 q만큼 평행이동하였더니 이차함수 $y = 3x^2 + 12x + 8$의 그래프와 완전히 포개어졌다. 유리수 p, q에 대하여 $p + q$의 값을 구하여라.

한눈에 보는 정답/오답 체크

01 제곱근과 그 성질

어떤 교과서에나 나오는 문제

번호	○/×
1	
2	
3	
4	
5	
6	
7	
8	

시험에 꼭 나오는 문제

번호	○/×
1	
2	
3	
4	
5	
6	
7	
8	
9	
10	
11	
12	
13	
14	
15	
16	

02 무리수와 실수

어떤 교과서에나 나오는 문제

번호	○/×
1	
2	
3	
4	
5	
6	
7	
8	

번호	○/×
1	
2	
3	
4	
5	
6	
7	
8	
9	
10	
11	
12	
13	
14	
15	
16	

시험에 꼭 나오는 문제

03 제곱근의 곱셈과 나눗셈

어떤 교과서에나 나오는 문제

번호	○/×
1	
2	
3	
4	
5	
6	
7	
8	

시험에 꼭

번호	○/×
1	
2	
3	
4	
5	
6	
7	
8	
9	
10	

번호	○/×
11	
12	
13	
14	
15	
16	

나오는 문제

04 제곱근의 덧셈과 뺄셈

어떤 교과서에나 나오는 문제

번호	○/×
1	
2	
3	
4	
5	
6	
7	
8	

시험에 꼭 나오는 문제

번호	○/×
1	
2	
3	
4	
5	
6	
7	
8	
9	
10	
11	
12	
13	
14	
15	
16	

05 곱셈공식

어떤 교과서에나 나오는 문제

번호	○/×
1	
2	
3	
4	
5	
6	
7	

번호	○/×
8	
1	
2	
3	
4	
5	
6	
7	
8	
9	
10	
11	
12	
13	
14	
15	
16	
17	
18	

시험에 꼭 나오는 문제

06 다항식의 인수분해(1)

어떤 교과서에나 나오는 문제

번호	○/×
1	
2	
3	
4	
5	
6	
7	
8	

시험에 꼭 나오는 문제

번호	○/×
1	
2	
3	
4	
5	
6	
7	
8	
9	
10	
11	
12	
13	
14	
15	
16	

교과서 노트

중학 수학 ❸ (상)
정답 및 해설

Mathematics

정답 및 풀이

I. 실수와 제곱근

1 제곱근과 그 성질
p. 6~13

기본 체크
p. 6

01 (1) 10　　　(2) -9　　　(3) 0.1　　　(4) $\dfrac{1}{4}$

02 (1) 6　　　(2) 3　　　(3) -11　　　(4) -2

대표 예제
p. 6~7

1 (1) $(-\sqrt{2})^2 = \boxed{2}$, $\sqrt{(-7)^2} = \boxed{7}$이므로
$(-\sqrt{2})^2 + \sqrt{(-7)^2} = \boxed{2} + \boxed{7} = \boxed{9}$

(2) $-\sqrt{1.3^2} = \boxed{-1.3}$, $(\sqrt{3})^2 = \boxed{3}$이므로
$-\sqrt{1.3^2} \times (\sqrt{3})^2 = \boxed{-1.3} \times \boxed{3} = \boxed{-3.9}$

(3) $(\sqrt{5})^2 = \boxed{5}$, $(-\sqrt{7})^2 = \boxed{7}$이므로
$(\sqrt{5})^2 + (-\sqrt{7})^2 = \boxed{5} + \boxed{7} = \boxed{12}$

(4) $\sqrt{49} = \sqrt{7^2} = \boxed{7}$, $\sqrt{(-3)^2} = \boxed{3}$이므로
$\sqrt{49} - \sqrt{(-3)^2} = \boxed{7} - \boxed{3} = \boxed{4}$

2 $\sqrt{(-36)^2} = 36$의 양의 제곱근은 $A = \boxed{6}$
$(-\sqrt{9})^2 = 9$의 음의 제곱근은 $B = \boxed{-3}$
$\therefore A - B = \boxed{6} - (\boxed{-3}) = \boxed{9}$

3 $\sqrt{24a}$가 자연수가 되려면 $24a$가 제곱수가 되어야 한다.
$24a = 4 \times 6 \times a = 2^2 \times 6 \times a$에서
$a = \boxed{6}$일 때 $24a = \boxed{12}^2$이 된다.
$\therefore a = \boxed{6}$

4 (1) $4 = \sqrt{16}$이고 $16 < 17$이므로 $\sqrt{16} \boxed{<} \sqrt{17}$이다.
$\therefore 4 \boxed{<} \sqrt{17}$

(2) $\dfrac{1}{4} = \sqrt{\dfrac{1}{16}}$이고 $\dfrac{1}{16} < \dfrac{1}{5}$이므로 $\sqrt{\dfrac{1}{16}} \boxed{<} \sqrt{\dfrac{1}{5}}$이다.
$\therefore \dfrac{1}{4} \boxed{<} \sqrt{\dfrac{1}{5}}$

어떤 교과서에나 나오는 문제
p. 8~9

01 ③	02 ③	03 ③	04 ②	05 2
06 ⑤	07 ⑤	08 72		

1 $(-4)^2 = 16$이므로 16의 제곱근은 ± 4이다.

2 100의 양의 제곱근은 10이므로 $a = 10$
$\sqrt{81} = 9$의 음의 제곱근은 -3이므로 $b = -3$
$\therefore a + b = 10 + (-3) = 7$

3 각 수의 제곱근을 구해 보면
$\sqrt{16} = 4$의 제곱근은 ± 2
3의 제곱근은 $\pm\sqrt{3}$
$\sqrt{121} = 11$의 제곱근은 $\pm\sqrt{11}$
$(-7)^2 = 49$의 제곱근은 ± 7
25의 제곱근은 ± 5
따라서 근호를 사용하지 않고 나타낼 수 있는 것은 3개이다.

4 ① $(\sqrt{11})^2 = 11$
③ $\sqrt{(-10)^2} = 10$
④ $(-\sqrt{0.2})^2 = 0.2$
⑤ $\sqrt{8^2} = 8$

5 $\sqrt{25} - \sqrt{(-6)^2} + (-\sqrt{3})^2 = 5 - 6 + 3 = 2$

6 ① $2 = \sqrt{4} > \sqrt{3}$
② $-\sqrt{6} > -\sqrt{7}$
③ $\dfrac{1}{3} = \sqrt{\dfrac{1}{9}} < \sqrt{\dfrac{1}{3}}$
④ $0 > -\sqrt{5}$

7 $2 = \sqrt{4}$, $3 = \sqrt{9}$이므로 부등식 $2 < \sqrt{x} < 3$, 즉 $\sqrt{4} < \sqrt{x} < \sqrt{9}$를 만족하는 x는 5, 6, 7, 8의 4개이다.

8 $\sqrt{\dfrac{1800}{n}} = \sqrt{\dfrac{2^3 \times 3^2 \times 5^2}{n}}$이 자연수가 되도록 하는 가장 큰 두 자리 자연수 n은 $n = 2^3 \times 3^2 = 72$

시험에 꼭 나오는 문제
p. 10~13

01 ①	02 ④	03 ③	04 ④	05 ④
06 ④	07 ②	08 ③	09 ②	10 ④
11 ④, ⑤	12 ④	13 ③	14 ③	15 ①
16 ④				

1 x가 a의 제곱근일 때, $x^2 = a$이다.

2 ㄱ. 0의 제곱근은 0이다.
ㄷ. 근호 안에는 음수가 올 수 없다.

3 $\sqrt{a^2} = 9$의 양변을 제곱하면 $a^2 = 81$
a는 81의 제곱근이므로 $a = \pm 9$

4 제곱근 $\dfrac{16}{9}$은 $\sqrt{\dfrac{16}{9}} = \dfrac{4}{3}$이므로 $a = \dfrac{4}{3}$
$\sqrt{\dfrac{1}{81}} = \dfrac{1}{9}$의 음의 제곱근은 $-\dfrac{1}{3}$이므로 $b = -\dfrac{1}{3}$

$$\therefore a+b=\frac{4}{3}+\left(-\frac{1}{3}\right)=1$$

5 A의 넓이가 $2\ \mathrm{cm}^2$이므로 B의 넓이는 $\dfrac{2}{3}\ \mathrm{cm}^2$,

C의 넓이는 $\dfrac{2}{9}\ \mathrm{cm}^2$이다.

C의 한 변의 길이를 $x\,(x>0)$라 하면

$$x^2=\frac{2}{9}\text{에서 } x=\sqrt{\frac{2}{9}}=\frac{\sqrt{2}}{3}$$

6 $\sqrt{\dfrac{9}{16}}\div\sqrt{\left(\dfrac{1}{2}\right)^2}-\sqrt{(-2)^2}\times\dfrac{7}{4}$

$$=\frac{3}{4}\div\frac{1}{2}-2\times\frac{7}{4}$$

$$=\frac{3}{4}\times2-\frac{7}{2}=\frac{3}{2}-\frac{7}{2}$$

$$=-2$$

7 ① $\sqrt{16}+\sqrt{(-5)^2}=4+5=9$

② $(-\sqrt{7}\,)^2-\sqrt{(-4)^2}=7-4=3$

③ $\sqrt{\left(-\dfrac{2}{3}\right)^2}\times(-\sqrt{36})=\dfrac{2}{3}\times(-6)=-4$

④ $-\sqrt{\dfrac{4}{25}}\div(-\sqrt{5})^2=-\dfrac{2}{5}\div5=-\dfrac{2}{5}\times\dfrac{1}{5}=-\dfrac{2}{25}$

⑤ $(-\sqrt{12}\,)^2\div\sqrt{4^2}=12\div4=3$

8 $0<a<2$일 때, $a-2<0,\ 2-a>0$

$$\therefore \sqrt{(a-2)^2}-\sqrt{(2-a)^2}=-(a-2)-(2-a)$$
$$=-a+2-2+a$$
$$=0$$

9 $0<a<1$일 때, $\dfrac{1}{a}>1$이므로 $a+\dfrac{1}{a}>0$이고 $a-\dfrac{1}{a}<0$이다.

$$\therefore \sqrt{\left(a+\frac{1}{a}\right)^2}-\sqrt{\left(a-\frac{1}{a}\right)^2}=\left(a+\frac{1}{a}\right)-\left\{-\left(a-\frac{1}{a}\right)\right\}$$
$$=\left(a+\frac{1}{a}\right)+\left(a-\frac{1}{a}\right)$$
$$=2a$$

10 $x-2\le0$일 때, $\sqrt{(x-2)^2}=-(x-2)$

$x+2\ge0$일 때, $\sqrt{(x+2)^2}=x+2$

따라서 $-2\le x\le2$일 때,

$\sqrt{(x-2)^2}+\sqrt{(x+2)^2}=-(x-2)+x+2=4$

11 $x=3\times(\text{자연수})^2$ 꼴이어야 한다.

② $9=3^2$

③ $16=4^2$

④ $27=3\times3^2$

⑤ $75=3\times5^2$

12 $\sqrt{\dfrac{252x}{5}}=\sqrt{\dfrac{6^2\times7x}{5}}$가 자연수이려면

$x=5\times7\times k^2\,(\text{단, } k\text{는 자연수})$ 꼴이어야 한다.

$k=1$일 때, x는 최솟값을 가지므로 $x=35$

13 $2x+160=2(x+80)$이 제곱수가 되어야 하므로

$x+80=2k^2\,(k\text{는 자연수})$꼴이어야 한다.

$k^2=49$일 때, x가 최소가 되므로

$x+80=2\times49$　　$\therefore x=18$

14 ① $3>\sqrt{8}$

② $-\sqrt{48}>-7$

④ $-0.3>-\sqrt{0.3}$

⑤ $-2>-\sqrt{5}$

15 큰 수부터 순서대로 나열하면

$$\sqrt{6},\ 0,\ -\frac{1}{2},\ -\sqrt{0.5},\ -1$$

따라서 네 번째에 오는 수는 $-\sqrt{0.5}$이다

16 $3=\sqrt{9},\ 2\sqrt{2}=\sqrt{8}$이므로 $3>2\sqrt{2}$

$$\therefore \sqrt{(3-2\sqrt{2})^2}-\sqrt{(2\sqrt{2}-3)^2}$$
$$=3-2\sqrt{2}-\{-(2\sqrt{2}-3)\}$$
$$=3-2\sqrt{2}+2\sqrt{2}-3=0$$

2 무리수와 실수　　　　　p. 14~21

기본 체크　　　　p. 14

01 유리수: $-\dfrac{2}{3},\ -1,\ 0$

무리수: $\sqrt{2},\ \pi$

02 (1) $<$　(2) $<$　(3) $<$　(4) $>$

대표 예제　　　　p. 14~15

1 대각선의 길이가 $\boxed{\sqrt{2}}$ 이고 $\boxed{1}$ 에서 왼쪽으로 이동했으므로 점에 대응하는 수는 $\boxed{1-\sqrt{2}}$ 이다.

2 $\triangle\mathrm{ABC}$는 직각삼각형이므로 피타고라스의 정리에 의해

$$\overline{\mathrm{AB}}^2=\boxed{\overline{\mathrm{BC}}^2}+\overline{\mathrm{AC}}^2$$
$$=\boxed{4}+1=\boxed{5}$$
$$\therefore \overline{\mathrm{AB}}=\boxed{\sqrt{5}}\ (\because \overline{\mathrm{AB}}>0)$$

대응하는 점 P는 기준점 1보다 오른쪽에 있으므로 $1+\boxed{\sqrt{5}}$

3 (1) $(\sqrt{10}-2)-1=\sqrt{10}-2-1$
$$=\sqrt{10}-3$$
$$=\sqrt{10}-\sqrt{9}>\boxed{0}$$
$$\therefore \sqrt{10}-2\ \boxed{>}\ 1$$

(2) $(\sqrt{6}+\sqrt{3}\,)-(\sqrt{6}+2)=\sqrt{6}+\sqrt{3}-\sqrt{6}-2$
$$=\sqrt{3}-2$$
$$=\sqrt{3}-\sqrt{4}<\boxed{0}$$
$$\therefore \sqrt{6}+\sqrt{3}\ \boxed{<}\ \sqrt{6}+2$$

4 $(\sqrt{15})^2=\boxed{15},\ 4^2=\boxed{16}$이므로 $\sqrt{15}\ \boxed{<}\ 4$

$$\therefore a \boxed{<} c$$
$$b-c=(3+\sqrt{2})-4=\sqrt{2}-1 \boxed{>} 0$$
$$\therefore b \boxed{>} c$$
$$\therefore a \boxed{<} c \boxed{<} b$$

5 $\sqrt{64}<\sqrt{78}<\sqrt{81}$에서 $\boxed{8}<\sqrt{78}<\boxed{9}$
따라서 $\sqrt{78}$에 대응하는 점은 점 $\boxed{D}$이다.

어떤 교과서에나 나오는 문제
p. 16~17

01 ④	02 ②	03 ③	04 ②	05 ①
06 ⑤	07 ①	08 $\sqrt{3}-5$		

1 ① $\sqrt{0}=0$
② $\sqrt{100}=10$
③ $-\sqrt{0.09}=-0.3$
⑤ $\sqrt{\dfrac{4}{9}}=\dfrac{2}{3}$

2 순환하지 않는 무한소수는 무리수이므로
$\pi+1, -\sqrt{2}, 5-\sqrt{5}$로 3개이다.

3 $\sqrt{7}$은 무리수이므로 순환하지 않는 무한소수이다.

4 한 변의 길이가 1인 정사각형의 대각선의 길이는
$\sqrt{2}$이므로 $-1+\sqrt{2}$에 대응하는 점은 B이다.

5 $A(-2+\sqrt{2})$, $B(1-\sqrt{2})$, $C(2-\sqrt{2})$이므로
세 점의 좌표의 합은
$-2+\sqrt{2}+1-\sqrt{2}+2-\sqrt{2}=1-\sqrt{2}$

6 ① $5<\sqrt{26}<6$이므로 4와 $\sqrt{26}$ 사이에는 자연수 5가 있다.
② -1과 0 사이에는 무수히 많은 무리수가 있다.
③ $1<\sqrt{2}<2$이므로 -2와 $\sqrt{2}$ 사이에는 -1, 0, 1의 3개의 정수가 있다.
④ $\dfrac{1}{8}$과 $\dfrac{1}{2}$ 사이에는 무수히 많은 유리수가있다.

7 ① $3-\sqrt{5}-1=2-\sqrt{5}<0$
$\quad \therefore 3-\sqrt{5}<1$

8 $b-a=(\sqrt{3}-2)-(\sqrt{2}-2)=\sqrt{3}-\sqrt{2}>0$
$\therefore b>a$
$a-c=(\sqrt{2}-2)-(-3)=\sqrt{2}+1>0$
$\therefore a>c$
$\therefore b>a>c$
$\therefore b+c=(\sqrt{3}-2)+(-3)=\sqrt{3}-5$

시험에 꼭 나오는 문제
p. 18~21

01 ①	02 ③	03 ④	04 ⑤	05 ①, ⑤
06 ⑤	07 ⑤	08 ②	09 $3-\sqrt{10}$	10 ④
11 ①	12 ②	13 ③	14 ②	15 ④
16 ③				

1 $\sqrt{9}=3$, 3.14, $\sqrt{0.04}=0.2$, $\sqrt{(-5)^2}=5$는 유리수이다.
따라서 무리수는 $-\sqrt{12}$, π로 2개다.

2 정사각형의 한 변의 길이는 다음과 같다.
① $\sqrt{5}$ ② $2\sqrt{2}$ ③ $\sqrt{16}=4$ ④ $4\sqrt{2}$ ⑤ $2\sqrt{2}$

3 $\sqrt{25}$의 제곱근은 $\pm\sqrt{5}$

4 $\sqrt{7}$은 무리수이므로 순환하지 않는 무한소수이다.

5 ② 순환하는 무한소수는 유리수이다.
③ $\sqrt{9}=3$(유리수)
④ 제곱근 4는 $\sqrt{4}=2$이다.

6 ① $a^2=(-\sqrt{3})^2=3$
② $(-a)^2=\{-(-\sqrt{3})\}^2=(\sqrt{3})^2=3$
③ $a+\sqrt{3}=-\sqrt{3}+\sqrt{3}=0$
④ $\sqrt{3}a=\sqrt{3}\times(-\sqrt{3})=-(\sqrt{3})^2=-3$
⑤ $3a=3\times(-\sqrt{3})=-3\sqrt{3}$

7 $\sqrt{n}$이 유리수인 것은 n이 제곱수일 때이므로
$\sqrt{1}=1, \sqrt{4}=2, \sqrt{9}=3, \cdots, \sqrt{100}=10$으로 10개이다.
따라서 무리수의 개수는 $100-10=90$(개)

8 $P=(2+\sqrt{2})$, $Q=(2-\sqrt{2})$이므로
$\overline{PQ}=(2+\sqrt{2})-(2-\sqrt{2})$
$\quad\quad=2+\sqrt{2}-2+\sqrt{2}$
$\quad\quad=2\sqrt{2}$

9 점 A에 대응하는 수는 3이고 $\overline{AP}$의 길이가 $\sqrt{10}$이므로
$\overline{AQ}=\overline{AP}=\sqrt{10}$이다.
따라서 점 Q에 대응하는 수는 $3-\sqrt{10}$이다.

10 ① (반례) $\sqrt{2}\times(-\sqrt{2})=-2$(유리수)
② 두 유리수의 곱은 항상 유리수이다.
③ 두 무리수 사이에는 유리수가 존재한다.
⑤ (반례) $\sqrt{5}+(-\sqrt{5})=0$(유리수)

11 $4<\sqrt{19}<5$이므로 $\sqrt{19}$의 정수 부분은 4
$4<\sqrt{23}<5$이므로 $\sqrt{23}$의 소수 부분은 $\sqrt{23}-4$
$\therefore 2a-b=2\times4-(\sqrt{23}-4)$
$\quad\quad\quad\quad=8-\sqrt{23}+4$
$\quad\quad\quad\quad=12-\sqrt{23}$

12 ① $(3+\sqrt{5})-(\sqrt{5}+\sqrt{10})=3-\sqrt{10}<0$
$\quad\quad \therefore 3+\sqrt{5}<\sqrt{5}+\sqrt{10}$
② $(2\sqrt{3}+1)-(\sqrt{3}-3)=\sqrt{3}+4>0$

$$\therefore 2\sqrt{3}+1>\sqrt{3}-3$$

③ $(5-\sqrt{3})-(2+3\sqrt{3})=3-4\sqrt{3}<0$
$$\therefore 5-\sqrt{3}<2+3\sqrt{3}$$

④ $(2\sqrt{7}-1)-(\sqrt{7}+2)=\sqrt{7}-3<0$
$$\therefore 2\sqrt{7}-1<\sqrt{7}+2$$

⑤ $(2\sqrt{2}-1)-(\sqrt{2}+1)=\sqrt{2}-2<0$
$$\therefore 2\sqrt{2}-1<\sqrt{2}+1$$

13 $b-a=2+\sqrt{7}-\sqrt{5}-\sqrt{7}=2-\sqrt{5}<0$
$$\therefore b<a$$
$c-a=\sqrt{5}+3-\sqrt{5}-\sqrt{7}=3-\sqrt{7}>0$
$$\therefore c>a$$
$$\therefore b<a<c$$

14 ①, ③은 양수이고, ②, ④, ⑤는 음수이므로
②, ④, ⑤의 대소를 비교한다.
②, ④의 대소를 비교하면
$(-1-\sqrt{5})-(-4)=3-\sqrt{5}=\sqrt{9}-\sqrt{5}>0$
$$\therefore -1-\sqrt{5}>-4$$
②, ⑤의 대소를 비교하면
$(-1-\sqrt{5})-(-\sqrt{5})=-1<0$
$$\therefore -1-\sqrt{5}<-\sqrt{5}$$
$$\therefore -4<-1-\sqrt{5}<-\sqrt{5}<\sqrt{5}+\sqrt{3}<\sqrt{5}+2$$

15 3에서 왼쪽으로 $\sqrt{2}$만큼 이동한 점 D이다.

16 $3<\sqrt{13}<4$이므로
$2+3<2+\sqrt{13}<2+4$
$$\therefore 5<2+\sqrt{13}<6$$
따라서 $2+\sqrt{13}$에 대응하는 점이 있는 구간은 C이다.

3 제곱근의 곱셈과 나눗셈
p. 22~29

기본 체크
p. 22

01 (1) $\sqrt{30}$　(2) -4　(3) $\sqrt{6}$　(4) $\sqrt{3}$

02 (1) $\dfrac{\sqrt{6}}{6}$　(2) $\dfrac{3\sqrt{2}}{2}$　(3) $\dfrac{\sqrt{15}}{3}$　(4) $-\dfrac{\sqrt{7}}{14}$

대표 예제
p. 22~23

1 (1) $\sqrt{32}=\sqrt{4^2\times 2}=\boxed{4\sqrt{2}}$

(2) $\sqrt{45}=\sqrt{3^2\times 5}=\boxed{3\sqrt{5}}$

2 (1) $5\sqrt{3}=\sqrt{\boxed{5^2}}\times\sqrt{3}=\sqrt{\boxed{25\times 3}}=\boxed{\sqrt{75}}$

(2) $\dfrac{1}{2}\sqrt{20}=\sqrt{\left(\boxed{\dfrac{1}{2}}\right)^2}\times\sqrt{20}=\sqrt{\boxed{\dfrac{1}{4}}\times 20}=\boxed{\sqrt{5}}$

3 (1) $2\sqrt{6}\times 3\sqrt{2}\div\sqrt{3}=\boxed{6\sqrt{12}}\div\sqrt{3}$

$$=\dfrac{6\sqrt{12}}{\boxed{\sqrt{3}}}=6\sqrt{\boxed{\dfrac{12}{3}}}$$

$$=6\sqrt{4}=6\times\boxed{2}=\boxed{12}$$

(2) $\sqrt{28}\div\dfrac{\sqrt{7}}{\sqrt{3}}\times\dfrac{\sqrt{5}}{2}=\sqrt{28}\times\boxed{\dfrac{\sqrt{3}}{\sqrt{7}}}\times\dfrac{\sqrt{5}}{2}$

$$=\dfrac{\sqrt{28\times 3}}{\boxed{\sqrt{7}}}\times\dfrac{\sqrt{5}}{2}=\dfrac{\sqrt{84}}{\boxed{\sqrt{7}}}\times\dfrac{\sqrt{5}}{2}$$

$$=\boxed{\sqrt{12}}\times\dfrac{\sqrt{5}}{2}=\dfrac{\sqrt{60}}{2}$$

$$=\dfrac{\boxed{2\sqrt{15}}}{2}=\boxed{\sqrt{15}}$$

4 (1) 분모와 분자에 각각 $\boxed{\sqrt{7}}$을 곱하면

$$\dfrac{\sqrt{3}}{\sqrt{7}}=\dfrac{\sqrt{3}\times\boxed{\sqrt{7}}}{\sqrt{7}\times\boxed{\sqrt{7}}}=\boxed{\dfrac{\sqrt{21}}{7}}$$

(2) 분모와 분자에 각각 $\boxed{\sqrt{3}}$을 곱하면

$$\dfrac{\sqrt{5}}{2\sqrt{3}}=\dfrac{\sqrt{5}\times\boxed{\sqrt{3}}}{2\sqrt{3}\times\boxed{\sqrt{3}}}=\dfrac{\boxed{\sqrt{15}}}{2\times\boxed{3}}=\boxed{\dfrac{\sqrt{15}}{6}}$$

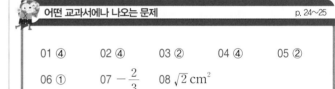

어떤 교과서에나 나오는 문제
p. 24~25

01 ④	02 ④	03 ②	04 ④	05 ②
06 ①	07 $-\dfrac{2}{3}$	08 $\sqrt{2}\ \text{cm}^2$		

1 $\sqrt{0.08}\times\sqrt{0.5}=\sqrt{0.08\times 0.5}=\sqrt{0.04}=0.2$

2 $\sqrt{24}=2\sqrt{6}$이므로 $a=2$, $\sqrt{48}=4\sqrt{3}$이므로 $b=4$
$$\therefore a+b=2+4=6$$

3 ① $2\sqrt{3}=\sqrt{12}$　　② $3\sqrt{5}=\sqrt{45}$
③ $4\sqrt{2}=\sqrt{32}$　　④ $\sqrt{42}$
⑤ $2\sqrt{11}=\sqrt{44}$

4 $\sqrt{18}\times\sqrt{12}\times\sqrt{50}=3\sqrt{2}\times 2\sqrt{3}\times 5\sqrt{2}$
$$=30\sqrt{12}=60\sqrt{3}$$
이므로 $a=60$

5 ② $-\dfrac{\sqrt{45}}{\sqrt{5}}=-\sqrt{9}=-3$

6 $\sqrt{12}=\sqrt{2^2\times 3}=(\sqrt{2})^2\times\sqrt{3}=a^2 b$

7 $\dfrac{1}{\sqrt{2}}\times\dfrac{\sqrt{8}}{\sqrt{5}}\div\left(-\dfrac{\sqrt{6}}{\sqrt{10}}\right)$

$$=\dfrac{1}{\sqrt{2}}\times\dfrac{\sqrt{8}}{\sqrt{5}}\times\left(-\dfrac{\sqrt{10}}{\sqrt{6}}\right)$$

$$=-\dfrac{2}{\sqrt{3}}=-\dfrac{2\sqrt{3}}{3}$$

이므로 $a=-\dfrac{2}{3}$

8 구하는 직사각형의 넓이는
$$\dfrac{2\sqrt{6}}{3}\times\dfrac{\sqrt{12}}{4}=\dfrac{2\sqrt{72}}{12}=\dfrac{\sqrt{72}}{6}=\dfrac{6\sqrt{2}}{6}=\sqrt{2}$$

01 ②	02 ④	03 ②	04 ④	05 ④
06 ①	07 ②	08 ①	09 ②	10 ③
11 ①	12 ①	13 ③	14 ⑤	15 ②
16 ④				

1 ① $\sqrt{5} \times \sqrt{5} = 5$

③ $\sqrt{\dfrac{18}{7}}\sqrt{\dfrac{7}{2}} = 3$

④ $\sqrt{21} \div \sqrt{3} = \sqrt{7}$

⑤ $\sqrt{2}\sqrt{3}\sqrt{5} = \sqrt{30}$

2 ④ $2\sqrt{12} \div 3\sqrt{6} = \dfrac{2\sqrt{2}}{3}$

3 $\sqrt{32} = 4\sqrt{2}$이므로 $a=4$

$\sqrt{216} = 6\sqrt{6}$이므로 $b=6$

$\therefore \sqrt{2ab} = \sqrt{2 \times 4 \times 6} = \sqrt{48} = 4\sqrt{3}$

4 $\sqrt{10} \times \sqrt{12} \times \sqrt{15} \times \sqrt{20}$

$= \sqrt{2^5 \times 3^2 \times 5^3}$

$= 2^2 \times 3 \times 5 \times \sqrt{2 \times 5}$

$= 60\sqrt{10}$

$\therefore a = 60$

5 $3 \times \sqrt{5} \times \sqrt{k} = \sqrt{2} \times \sqrt{18}$에서

$3\sqrt{5k} = \sqrt{36}$, $\sqrt{5k} = \dfrac{6}{3} = 2$

$5k = 4$ $\therefore k = \dfrac{4}{5}$

6 $\sqrt{2} \times \sqrt{3} \times \sqrt{a} \times \sqrt{10} \times \sqrt{15a} = 60$에서

$\sqrt{900a^2} = 30a = 60$

$\therefore a = 2$

7 $4\sqrt{6} \div 2\sqrt{2} \times 5\sqrt{3} = \dfrac{4\sqrt{6} \times 5\sqrt{3}}{2\sqrt{2}}$

$\phantom{4\sqrt{6} \div 2\sqrt{2} \times 5\sqrt{3}} = \dfrac{60\sqrt{2}}{2\sqrt{2}} = 30$

8 $\sqrt{100+x} = 6\sqrt{3}$에서 $\sqrt{100+x} = \sqrt{108}$

$100 + x = 108$ $\therefore x = 8$

9 $\dfrac{\sqrt{180}}{3\sqrt{k}} = \dfrac{\sqrt{2^2 \times 3^2 \times 5}}{3\sqrt{k}} = \dfrac{6\sqrt{5}}{3\sqrt{k}} = \dfrac{2\sqrt{5}}{\sqrt{k}} = \dfrac{2\sqrt{5k}}{k} = \dfrac{2\sqrt{35}}{7}$

이므로 $k = 7$

10 $2\sqrt{6} \times \sqrt{a} \div \sqrt{15} = 3$에서

$2\sqrt{6a} \div \sqrt{15} = 3$, $\dfrac{2\sqrt{6a}}{\sqrt{15}} = 3$

$2\sqrt{6a} = 3\sqrt{15}$, $\sqrt{24a} = \sqrt{135}$

$24a = 135$ $\therefore a = \dfrac{135}{24} = \dfrac{45}{8}$

11 $\dfrac{3}{2\sqrt{2}} \div (-6\sqrt{10}) \times 2\sqrt{15}$

$= \dfrac{3}{2\sqrt{2}} \times \left(-\dfrac{1}{6\sqrt{10}}\right) \times 2\sqrt{15}$

$= -\dfrac{\sqrt{3}}{4}$

12 $\sqrt{500} = 10\sqrt{5}$이므로 $A = 10$

$\sqrt{0.2} = \sqrt{\dfrac{2}{10}} = \sqrt{\dfrac{5}{25}} = \dfrac{1}{5}\sqrt{5}$이므로 $B = \dfrac{1}{5}$

$\therefore AB = 10 \times \dfrac{1}{5} = 2$

13 $\sqrt{98} = \sqrt{2 \times 7^2} = \sqrt{2} \times (\sqrt{7})^2 = ab^2$

14 $\sqrt{5} \times \sqrt{10} \times \sqrt{15} \times \sqrt{20} \times \sqrt{25}$

$= \sqrt{2^3 \times 3 \times 5^6} = 2 \times 5^3 \times \sqrt{2 \times 3}$

$= 250\sqrt{6}$

$\therefore k = 250$

15 $\dfrac{5}{\sqrt{20}} = \dfrac{5}{2\sqrt{5}} = \dfrac{\sqrt{5}}{2} = \dfrac{1}{2}\sqrt{5}$이므로 $A = \dfrac{1}{2}$

$\dfrac{4}{3\sqrt{2}} = \dfrac{4\sqrt{2}}{6} = \dfrac{2\sqrt{2}}{3} = \dfrac{2}{3}\sqrt{2}$이므로 $B = \dfrac{2}{3}$

$\therefore AB = \dfrac{1}{2} \times \dfrac{2}{3} = \dfrac{1}{3}$

16 원기둥의 높이를 x cm라고 하면

$\pi \times (2\sqrt{3})^2 \times x = \sqrt{720}\pi$

$\therefore x = \dfrac{\sqrt{720}\pi}{12\pi} = \dfrac{12\sqrt{5}}{12} = \sqrt{5}$

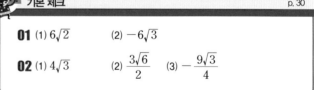

4 제곱근의 덧셈과 뺄셈   p. 30~37

기본 체크   p. 30

01 (1) $6\sqrt{2}$ (2) $-6\sqrt{3}$

02 (1) $4\sqrt{3}$ (2) $\dfrac{3\sqrt{6}}{2}$ (3) $-\dfrac{9\sqrt{3}}{4}$

대표 예제   p. 30~31

1 (1) $3\sqrt{2} + 6\sqrt{2} = (3 + \boxed{6})\sqrt{2} = \boxed{9\sqrt{2}}$

(2) $5\sqrt{7} + 3\sqrt{7} = (5 + \boxed{3})\sqrt{7} = \boxed{8\sqrt{7}}$

(3) $2\sqrt{6} + 3\sqrt{6} - \sqrt{6} = (2 + 3 - \boxed{1})\sqrt{6} = \boxed{4\sqrt{6}}$

(4) $\dfrac{\sqrt{5}}{2} - \dfrac{\sqrt{5}}{3} = \left(\dfrac{1}{2} - \boxed{\dfrac{1}{3}}\right)\sqrt{5} = \boxed{\dfrac{\sqrt{5}}{6}}$

2 (1) $\sqrt{32}+3\sqrt{2}=\sqrt{\boxed{4^2}\times2}+3\sqrt{2}$

$\qquad=\boxed{4}\sqrt{2}+3\sqrt{2}$

$\qquad=\boxed{7\sqrt{2}}$

(2) $\sqrt{75}-4\sqrt{3}=\sqrt{\boxed{5^2}\times3}-4\sqrt{3}$

$\qquad=\boxed{5}\sqrt{3}-4\sqrt{3}$

$\qquad=\boxed{\sqrt{3}}$

3 (1) $\sqrt{5}(\sqrt{3}+\sqrt{5})=\boxed{\sqrt{5}}\times\sqrt{3}+\sqrt{5}\times\boxed{\sqrt{5}}$

$\qquad=\boxed{\sqrt{15}}+5$

(2) $(\sqrt{30}-\sqrt{12})\div\sqrt{3}=(\sqrt{30}-\sqrt{12})\times\boxed{\dfrac{1}{\sqrt{3}}}$

$\qquad=\dfrac{\sqrt{30}}{\boxed{\sqrt{3}}}-\dfrac{\sqrt{12}}{\boxed{\sqrt{3}}}$

$\qquad=\boxed{\sqrt{10}}-\sqrt{\boxed{4}}$

$\qquad=\boxed{\sqrt{10}}-2$

4 $\sqrt{6}\times\sqrt{3}-3\div\sqrt{2}=\boxed{\sqrt{18}}-3\times\boxed{\dfrac{1}{\sqrt{2}}}=\sqrt{\boxed{3^2}\times2}-\boxed{\dfrac{3}{\sqrt{2}}}$

$=\boxed{3\sqrt{2}}-\dfrac{3\times\boxed{\sqrt{2}}}{\sqrt{2}\times\sqrt{2}}=\boxed{3\sqrt{2}}-\boxed{\dfrac{3\sqrt{2}}{2}}$

$=\left(\boxed{3}-\dfrac{3}{2}\right)\sqrt{2}$

$=\boxed{\dfrac{3}{2}}\sqrt{2}$

어떤 교과서에나 나오는 문제　　　　　p. 32~33

| 01 ② | 02 ④ | 03 ④ | 04 ① | 05 0 |
| 06 $5\sqrt{5}$ | 07 ④ | 08 $48\sqrt{2}$ cm | | |

1 $\sqrt{50}+\sqrt{32}-3\sqrt{2}=5\sqrt{2}+4\sqrt{2}-3\sqrt{2}$

$\qquad\qquad\qquad=6\sqrt{2}$

이므로 $a=6$

2 ① $3\sqrt{7}-\sqrt{7}=2\sqrt{7}$

② $\sqrt{18}-\sqrt{8}=3\sqrt{2}-2\sqrt{2}=\sqrt{2}$

③ $2\sqrt{3}+5\sqrt{3}=7\sqrt{3}$

④ $\dfrac{\sqrt{5}}{2}+\dfrac{5}{\sqrt{5}}=\dfrac{\sqrt{5}}{2}+\sqrt{5}=\dfrac{3\sqrt{5}}{2}$

⑤ $\sqrt{10}+2\sqrt{10}-3\sqrt{10}=0$

3 $\sqrt{27}+2\sqrt{24}-3\sqrt{12}+5\sqrt{6}$

$=3\sqrt{3}+4\sqrt{6}-6\sqrt{3}+5\sqrt{6}$

$=-3\sqrt{3}+9\sqrt{6}$

이므로 $a=-3$, $b=9$

$\therefore a+b=(-3)+9=6$

4 $(\sqrt{2}-3\sqrt{10})-(\sqrt{50}-\sqrt{40})$

$=\sqrt{2}-3\sqrt{10}-5\sqrt{2}+2\sqrt{10}$

$=-4\sqrt{2}-\sqrt{10}$

5 $(a-3\sqrt{2})(3+2\sqrt{2})=(3a-12)+(2a-9)\sqrt{2}$

이므로 $3a-12=0$, $2a-9=b+3$

따라서 $a=4$, $b=-4$이므로 $a+b=0$

6 $A+2B=(3\sqrt{5}-2\sqrt{3})+2(\sqrt{5}+\sqrt{3})$

$\qquad\quad=3\sqrt{5}-2\sqrt{3}+2\sqrt{5}+2\sqrt{3}$

$\qquad\quad=5\sqrt{5}$

7 $\sqrt{2}(4\sqrt{2}-5)-a(2-\sqrt{2})$

$=4\sqrt{2}\sqrt{2}-5\sqrt{2}-2a+a\sqrt{2}$

$=8-5\sqrt{2}-2a+a\sqrt{2}$

$=(8-2a)+(-5+a)\sqrt{2}$

주어진 식이 유리수가 되려면 $\sqrt{2}$의 계수가 0이 되어야 한다.

따라서 $-5+a=0$이므로 $a=5$

8 $4(3\sqrt{2}+\sqrt{32}+\sqrt{50})=4(3\sqrt{2}+4\sqrt{2}+5\sqrt{2})$

$\qquad\qquad\qquad\qquad=4\times12\sqrt{2}$

$\qquad\qquad\qquad\qquad=48\sqrt{2}$

시험에 꼭 나오는 문제　　　　　p. 34~37

01 ②	02 ②	03 ⑤	04 ②	
05 $-\sqrt{2}-\sqrt{6}$	06 ②	07 ④		
08 $16+6\sqrt{15}$	09 ③	10 ②	11 ⑤	
12 0.06083	13 $\sqrt{2}+1$	14 $3\sqrt{2}+6$	15 ③	16 ①, ⑤

1 ② $\sqrt{8}-\sqrt{2}=2\sqrt{2}-\sqrt{2}=\sqrt{2}$

2 $A=\sqrt{2}\times\sqrt{3}\times\sqrt{4}=2\sqrt{6}$

$B=\sqrt{8}\times\sqrt{12}=4\sqrt{6}$

$\therefore A+B=2\sqrt{6}+4\sqrt{6}=6\sqrt{6}$

3 $a>0$, $b>0$이고 $ab=48$이므로

$a\sqrt{\dfrac{12b}{a}}+b\sqrt{\dfrac{3a}{b}}=\sqrt{\dfrac{12a^2b}{a}}+\sqrt{\dfrac{3ab^2}{b}}$

$\qquad\qquad\qquad=\sqrt{12ab}+\sqrt{3ab}$

$\qquad\qquad\qquad=\sqrt{2^2\times3ab}+\sqrt{3ab}$

$\qquad\qquad\qquad=2\sqrt{3ab}+\sqrt{3ab}$

$\qquad\qquad\qquad=3\sqrt{3ab}$

$\qquad\qquad\qquad=3\sqrt{3\times48}=3\sqrt{144}$

$\qquad\qquad\qquad=3\sqrt{12^2}$

$\qquad\qquad\qquad=36$

4 $2\sqrt{3}+\sqrt{45}-2\sqrt{48}+2\sqrt{5}$

$=2\sqrt{3}+3\sqrt{5}-8\sqrt{3}+2\sqrt{5}$

$=-6\sqrt{3}+5\sqrt{5}$

이므로 $a=-6$, $b=5$

$\therefore a+b=(-6)+5=-1$

5 $\sqrt{2}(2-\sqrt{12})+\sqrt{3}(\sqrt{2}-\sqrt{6})$

$=2\sqrt{2}-2\sqrt{6}+\sqrt{6}-3\sqrt{2}$

$=-\sqrt{2}-\sqrt{6}$

6 $\sqrt{2}A + \sqrt{3}B = \sqrt{2}(\sqrt{2} + 5\sqrt{3}) + \sqrt{3}(3\sqrt{2} - \sqrt{3})$
$= 2 + 5\sqrt{6} + 3\sqrt{6} - 3$
$= 8\sqrt{6} - 1$

7 $\sqrt{2} \times \sqrt{k} - 3\sqrt{2} = \sqrt{k} - 3$에서
$(\sqrt{2} - 1)\sqrt{k} = 3(\sqrt{2} - 1)$
이므로 $\sqrt{k} = 3$
$\therefore k = 9$

8 (직육면체의 겉넓이)
$= 2\{\sqrt{3}(\sqrt{3} + \sqrt{5}) + (\sqrt{3} \times \sqrt{5}) + \sqrt{5}(\sqrt{3} + \sqrt{5})\}$
$= 2(3 + \sqrt{15} + \sqrt{15} + \sqrt{15} + 5)$
$= 16 + 6\sqrt{15}$

9 $a - 2b = 3\sqrt{2} + \dfrac{7\sqrt{3}}{2} - 2\left(\sqrt{2} + \dfrac{\sqrt{3}}{2}\right)$
$= 3\sqrt{2} + \dfrac{7\sqrt{3}}{2} - 2\sqrt{2} - \sqrt{3}$
$= \sqrt{2} + \dfrac{5\sqrt{3}}{2}$
$\therefore \sqrt{3}(a - 2b) - 2\sqrt{2}b = \sqrt{3}\left(\sqrt{2} + \dfrac{5\sqrt{3}}{2}\right) - 2\sqrt{2}\left(\sqrt{2} + \dfrac{\sqrt{3}}{2}\right)$
$= \sqrt{6} + \dfrac{15}{2} - 4 - \sqrt{6} = \dfrac{7}{2}$

10 $\sqrt{24}\left(\dfrac{1}{\sqrt{3}} - \sqrt{6}\right) - \dfrac{a}{\sqrt{2}}(\sqrt{32} - 2)$
$= 2\sqrt{6} \times \dfrac{1}{\sqrt{3}} - 2\sqrt{6} \times \sqrt{6} - \dfrac{a}{\sqrt{2}} \times 4\sqrt{2} + \dfrac{a}{\sqrt{2}} \times 2$
$= 2\sqrt{2} - 12 - 4a + \sqrt{2}a$
$= (2 + a)\sqrt{2} - 12 - 4a$
이 수가 유리수가 되려면 $(2 + a)\sqrt{2} = 0$
$\therefore a = -2$

11 $3\sqrt{2} - 4 = \sqrt{18} - \sqrt{16} > 0$이고
$4\sqrt{2} - 6 = \sqrt{32} - \sqrt{36} < 0$이므로
$\sqrt{(3\sqrt{2} - 4)^2} + \sqrt{(4\sqrt{2} - 6)^2}$
$= (3\sqrt{2} - 4) + \{-(4\sqrt{2} - 6)\}$
$= 3\sqrt{2} - 4 - 4\sqrt{2} + 6$
$= -\sqrt{2} + 2$

12 $\sqrt{0.0037} = \sqrt{\dfrac{37}{10000}} = \dfrac{\sqrt{37}}{100} = 0.06083$

13 $\sqrt{2} + 1$의 정수 부분은 $a = 2$
소수 부분은 $b = \sqrt{2} + 1 - 2 = \sqrt{2} - 1$
$\therefore \sqrt{2}a - b = 2\sqrt{2} - (\sqrt{2} - 1) = \sqrt{2} + 1$

14 (넓이) $= \dfrac{1}{2}(\sqrt{12} + \sqrt{24}) \times \sqrt{6}$
$= \dfrac{1}{2}(6\sqrt{2} + 12)$
$= 3\sqrt{2} + 6$

15 ③ $\sqrt{32000} \times \sqrt{3.2 \times 10000} = 100a$

16 ① $\sqrt{20000} = \sqrt{2} \times \sqrt{10000} = 100\sqrt{2}$
② $\sqrt{2000} = \sqrt{20} \times \sqrt{100} = 2\sqrt{5} \times 10 = 20\sqrt{5}$
③ $\sqrt{0.2} = \sqrt{\dfrac{20}{100}} = \dfrac{2\sqrt{5}}{10} = \dfrac{\sqrt{5}}{5}$
④ $\sqrt{0.8} = \sqrt{\dfrac{80}{100}} = \dfrac{4\sqrt{5}}{10} = \dfrac{2\sqrt{5}}{5}$
⑤ $\sqrt{2.5} = \sqrt{\dfrac{250}{100}} = \dfrac{5\sqrt{10}}{10} = \dfrac{\sqrt{10}}{2}$

단원종합문제　　p. 38~41

01 ①	02 ②	03 ①	04 ④	05 ①
06 ①	07 ④	08 ①, ③	09 ⑤	10 ④
11 ③	12 ④	13 ②	14 ①	15 ①
16 ⑤	17 ④	18 ①	19 12	20 $2\sqrt{3}$
21 $2\sqrt{2} - 3$	22 $3\sqrt{2} - 3$	23 $15 + \sqrt{3}$	24 $9\sqrt{3} - 15$	

01 ① $(-4)^2 = 16$이므로 $(-4)^2$의 제곱근은 ± 4이다.
② $\sqrt{(-6)^2} = \sqrt{6^2} = 6$
③ $\sqrt{9} = 3$이므로 $\sqrt{9}$의 제곱근은 $\pm\sqrt{3}$이다.
④ $\sqrt{0.\dot{1}} = \sqrt{\dfrac{1}{9}} = \dfrac{1}{3}$
⑤ 0의 제곱근은 0이다.

02 $\sqrt{16} = 4$의 양의 제곱근은 $2 = A$
$(-3)^2 = 9$의 음의 제곱근은 $-3 = B$
$\therefore A + B = -1$

03 ① $\sqrt{(-3)^4} = \sqrt{81} = 9$
② $\sqrt{(-2)^2} = 2$
③ $\sqrt{169} = 13$
④ $(-\sqrt{25})^2 = 25$
⑤ $\sqrt{\left(-\dfrac{3}{4}\right)^2} = \dfrac{3}{4}$

04 ④ 제곱근 9는 $\sqrt{9} = 3$이다. ①, ②, ③, ⑤는 모두 ± 3

05 $a < 0$이므로 $-3a > 0$이다.
$\therefore$ (주어진 식) $= -(-a) + (-3a)$
$= a - 3a = -2a$

06 $\sqrt{\dfrac{1800}{n}} = \sqrt{\dfrac{2^3 \times 3^2 \times 5^2}{n}}$이 자연수가 되어야 하므로
$n = 2 \times a^2$이어야 한다.
이때 n은 두 자리 자연수이므로 자연수 n은
$n = 2 \times 3^2$, 2×5^2, $2^3 \times 3^2$의 3개이다.

07 $2 < \sqrt{4n - 1} < 4$의 각 변을 제곱하면
$4 < 4n - 1 < 16$, $5 < 4n < 17$

$$\therefore \frac{5}{4} < n < \frac{17}{4}$$

따라서 $n=2$, 3, 4이므로 구하는 합은
$2+3+4=9$

08 ① 모든 순환소수는 유리수이다.
③ 근호를 써서 나타낸 수 중에는 유리수도 있다.

09 ⑤ $-\sqrt{0.\dot{4}} = -\sqrt{\frac{4}{9}} = -\frac{2}{3}$ 는 유리수이다.

10 ① A의 좌표는 $A(\sqrt{2})$
② B의 좌표는 $B(-\sqrt{5})$
③ a와 b 사이에는 유리수가 무수히 많다.
⑤ $ab = \sqrt{2} \times (-\sqrt{5}) = -\sqrt{10}$

11 ① $2 < \sqrt{7} < 3 \Rightarrow 1 < \sqrt{7}-1 < 2$
② $\sqrt{5} > \sqrt{3} \Rightarrow \sqrt{5}+1 > \sqrt{3}+1$
③ $\sqrt{2} < 2 \Rightarrow \sqrt{2}-1 < 1$
④ $\sqrt{2} < \sqrt{3} \Rightarrow -\sqrt{2} > -\sqrt{3}$
$\phantom{④ \sqrt{2} < \sqrt{3} } \Rightarrow 3-\sqrt{2} > 3-\sqrt{3}$
⑤ $\sqrt{6} < \sqrt{7} \Rightarrow \sqrt{6}+\sqrt{5} < \sqrt{7}+\sqrt{5}$

12 두 정사각형 A, B의 한 변의 길이를 각각 a, b라 하면
A, B의 넓이는 각각 a^2, b^2이다.
A의 넓이가 B의 넓이의 5배이므로
$a^2 = 5b^2 \quad \therefore a = \sqrt{5}b$
따라서 A의 한 변의 길이는 B의 한 변의 길이의 $\sqrt{5}$배가 된다.

13 두 꽃밭의 넓이의 합은 $3^2+6^2=45$
따라서 새로 만든 꽃밭의 한 변의 길이는
$\sqrt{45} = 3\sqrt{5}(\text{m})$

14 $\sqrt{2}$의 소수 부분은 $a = \sqrt{2}-1$
$\sqrt{162} = 9\sqrt{2}$이므로 이를 a로 나타내면
$9\sqrt{2} = 9(a+1)$

15 $\sqrt{48} - (-\sqrt{5})^2 - \frac{9}{\sqrt{3}} = 4\sqrt{3}-5-3\sqrt{3}$
$\phantom{\sqrt{48} - (-\sqrt{5})^2 - \frac{9}{\sqrt{3}}} = \sqrt{3}-5$

16 $\sqrt{\frac{27}{80}} = \frac{3\sqrt{3}}{4\sqrt{5}} = \frac{3\sqrt{3} \times \sqrt{5}}{4\sqrt{5} \times \sqrt{5}} = \frac{3\sqrt{15}}{20}$

그러므로 $a=3$, $b=4$, $c=\frac{3}{20}$

$a \div b \div c = 3 \times \frac{1}{4} \times \frac{20}{3} = 5$

17 ④ $\sqrt{11000} = \sqrt{1.1 \times 10000} = 100\sqrt{1.1} = 104.9$

18 $\sqrt{2}(a-\sqrt{2})-2(3a-5\sqrt{2})$
$= \sqrt{2}a-2-6a+10\sqrt{2}$
$= (a+10)\sqrt{2}-2-6a$
주어진 수가 유리수가 되어야 하므로
$a+10=0 \quad \therefore a=-10$

19 $x\sqrt{\frac{8y}{x}} + y\sqrt{\frac{2x}{y}}$

$= \sqrt{\frac{8y}{x} \times x^2} + \sqrt{\frac{2x}{y} \times y^2}$
$= \sqrt{8xy} + \sqrt{2xy}$
$= 8+4 = 12$

20 직사각형의 가로의 길이를 x라 하면
(삼각형의 넓이) = (직사각형의 넓이)이므로
$\frac{1}{2} \times \sqrt{32} \times \sqrt{18} = \sqrt{12} \times x$

$\therefore x = \frac{1}{2} \times \sqrt{32} \times \sqrt{18} \div \sqrt{12}$

$ = \frac{1}{2}\sqrt{32 \times 18 \times \frac{1}{12}}$

$ = \frac{1}{2} \times \sqrt{48} = 2\sqrt{3}$

21 $\sqrt{2}$의 소수부분은 $\sqrt{2}-1 = a$
$3\sqrt{2} = \sqrt{18}$의 소수부분은 $3\sqrt{2}-4 = b$
$\therefore b-a = 3\sqrt{2}-4-(\sqrt{2}-1) = 2\sqrt{2}-3$

22 색칠한 부분인 삼각형의 밑변의 길이는 $\sqrt{12}-\sqrt{6}$,
높이는 $\sqrt{6}$이므로 그 넓이는
$\frac{1}{2} \times (\sqrt{12}-\sqrt{6}) \times \sqrt{6} = \frac{(\sqrt{12}-\sqrt{6}) \times \sqrt{6}}{2}$

$\phantom{\frac{1}{2} \times (\sqrt{12}-\sqrt{6}) \times \sqrt{6}} = \frac{\sqrt{72}}{2} - \frac{\sqrt{36}}{2} = \frac{\sqrt{6^2 \times 2}}{2} - \frac{6}{2}$

$\phantom{\frac{1}{2} \times (\sqrt{12}-\sqrt{6}) \times \sqrt{6}} = \frac{6\sqrt{2}}{2} - 3 = 3\sqrt{2}-3$

23 $\sqrt{3}a = \sqrt{3}(4\sqrt{3}+2) = 12+2\sqrt{3}$

$\frac{3b}{\sqrt{3}} = \frac{3(1-\sqrt{3})}{\sqrt{3}} = \sqrt{3}(1-\sqrt{3}) = \sqrt{3}-3$

$\therefore \sqrt{3}a - \frac{3b}{\sqrt{3}} = (12+2\sqrt{3})-(\sqrt{3}-3)$

$\phantom{\therefore \sqrt{3}a - \frac{3b}{\sqrt{3}}} = 12+2\sqrt{3}-\sqrt{3}+3$

$\phantom{\therefore \sqrt{3}a - \frac{3b}{\sqrt{3}}} = 15+\sqrt{3}$

24 $\overline{FC} = 3-\sqrt{3}$
$\overline{HF} = \sqrt{3}-(3-\sqrt{3}) = 2\sqrt{3}-3$
$\therefore \square HGCF = (3-\sqrt{3})(2\sqrt{3}-3)$
$ = 6\sqrt{3}-9-6+3\sqrt{3}$
$ = 9\sqrt{3}-15$

Ⅱ. 다항식의 곱셈과 인수분해

5 곱셈공식 p. 42~49

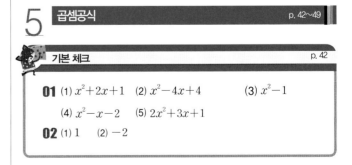

기본 체크 p. 42

01 (1) x^2+2x+1 (2) x^2-4x+4 (3) x^2-1
 (4) x^2-x-2 (5) $2x^2+3x+1$

02 (1) 1 (2) -2

대표 예제   p. 42~43

1 (1) $(2a+3b)^2 = (2a)^2 + \boxed{2} \times 2a \times 3b + (3b)^2$

$\qquad\qquad = \boxed{4a^2+12ab+9b^2}$

(2) $(3x-y)^2 = (3x)^2 - \boxed{2} \times 3x \times y + y^2$

$\qquad\qquad = \boxed{9x^2-6xy+y^2}$

2 (1) $(x+2)(x+3) = x^2 + (\boxed{2}+3)x + 2 \times \boxed{3}$

$\qquad\qquad = \boxed{x^2+5x+6}$

(2) $(x-2)(x+3) = x^2 + \{(\boxed{-2})+3\}x + (\boxed{-2}) \times 3$

$\qquad\qquad = \boxed{x^2+x-6}$

(3) $(x-1)(x+6) = x^2 + \{(\boxed{-1})+6\}x + (\boxed{-1}) \times 6$

$\qquad\qquad = \boxed{x^2+5x-6}$

(4) $(a-3)(a-5)$

$\qquad = a^2 + \{(-3)+(\boxed{-5})\}a + (-3) \times (\boxed{-5})$

$\qquad = \boxed{a^2-8a+15}$

3 (1) $(2x+1)(3x+2)$

$\qquad = (\boxed{2 \times 3})x^2 + (2 \times \boxed{2} + 1 \times \boxed{3})x + \boxed{1 \times 2}$

$\qquad = \boxed{6x^2+7x+2}$

(2) $(2x+y)(3x-2y)$

$\qquad = (\boxed{2 \times 3})x^2 + \{2 \times (\boxed{-2}) + 1 \times \boxed{3}\}xy + \{\boxed{1 \times (-2)}\}y^2$

$\qquad = \boxed{6x^2-xy-2y^2}$

4 (1) $(\sqrt{2}+1)^2 = (\sqrt{2})^2 + 2 \times \boxed{\sqrt{2}} \times \boxed{1} + 1^2 = \boxed{3+2\sqrt{2}}$

(2) $(2\sqrt{3}-1)^2 = (2\sqrt{3})^2 - 2 \times \boxed{2\sqrt{3}} \times \boxed{1} + 1^2 = \boxed{13-4\sqrt{3}}$

(3) $(\sqrt{3}+1)(\sqrt{3}-1) = \boxed{\sqrt{3}}^2 - \boxed{1}^2 = \boxed{2}$

(4) $(-2+\sqrt{3})(2-\sqrt{3}) = -(2-\boxed{\sqrt{3}})(2-\sqrt{3})$

$\qquad\qquad = -(2-\boxed{\sqrt{3}})^2$

$\qquad\qquad = -(\boxed{7} - \boxed{4\sqrt{3}})$

$\qquad\qquad = \boxed{-7+4\sqrt{3}}$

5 (1) 분모와 분자에 $\boxed{2-\sqrt{3}}$ 을 각각 곱하면

$\dfrac{1}{2+\sqrt{3}} = \dfrac{\boxed{2-\sqrt{3}}}{(2+\sqrt{3})(\boxed{2-\sqrt{3}})} = \dfrac{2-\sqrt{3}}{2^2 - (\boxed{\sqrt{3}})^2}$

$= \dfrac{\boxed{2-\sqrt{3}}}{\boxed{4}-3} = \boxed{2-\sqrt{3}}$

(2) 분모와 분자에 $\boxed{\sqrt{5}-\sqrt{3}}$ 을 각각 곱하면

$\dfrac{1}{\sqrt{5}+\sqrt{3}} = \dfrac{\boxed{\sqrt{5}-\sqrt{3}}}{(\sqrt{5}+\sqrt{3})(\boxed{\sqrt{5}-\sqrt{3}})}$

$= \dfrac{\sqrt{5}-\sqrt{3}}{(\sqrt{5})^2 - (\sqrt{3})^2} = \dfrac{\sqrt{5}-\sqrt{3}}{5-3} = \boxed{\dfrac{\sqrt{5}-\sqrt{3}}{2}}$

어떤 교과서에나 나오는 문제   p. 44~45

01 ②	02 ③	03 ⑤	04 ②	05 ⑤
06 ①	07 ④	08 ④		

1 $(x+A)^2 = x^2 + 2Ax + A^2 = x^2 + 8x + B$에서

$2A=8 \quad \therefore A=4$

$B = A^2 = 4^2 = 16$

$\therefore A+B = 4+16 = 20$

2 $(a+b)^2 - (a-b)^2$

$= (a^2+2ab+b^2) - (a^2-2ab+b^2)$

$= a^2+2ab+b^2-a^2+2ab-b^2$

$= 4ab$

3 $(x-3)(x-a) = x^2 - (3+a)x + 3a$

$\qquad\qquad\qquad = x^2 - bx + 15$

에서 $3a=15 \quad \therefore a=5$

$\therefore b = 3+a = 3+5 = 8$

4 ② $(a-2)^2 = a^2-4a+4$

5 $(3x+a)(x-2)$의 전개식에서 x의 계수는

$-6+a$이므로 $\quad -6+a=-1$

$\therefore a=5$

6 $(3-1)(3+1)(3^2+1)(3^4+1)$

$= (3^2-1)(3^2+1)(3^4+1)$

$= (3^4-1)(3^4+1)$

$= 3^8-1$

7 $2x-y$를 A로 치환하면

$(A+4)(A-4) = A^2-16$

$\qquad\qquad\qquad = (2x-y)^2-16$

$\qquad\qquad\qquad = 4x^2-4xy+y^2-16$

8 a^2x^2에서 $a^2=16$이므로

$a=\pm4$, $a>0$이므로 $a=4$

$4b^2 = \dfrac{1}{4}$이므로 $b^2 = \dfrac{1}{16}$,

$b = \pm\dfrac{1}{4}$, $b<0$이므로 $b = -\dfrac{1}{4}$

$\therefore x$의 계수는 $2 \times a \times 2b = 2 \times 4 \times 2 \times \left(-\dfrac{1}{4}\right) = -4$

시험에 꼭 나오는 문제   p. 46~49

01 ⑤	02 ④	03 ①	04 ④	05 ②
06 ①	07 ③	08 ③	09 ②	10 ④
11 ④	12 ②	13 ③	14 ③	
15 $\dfrac{43+4\sqrt{30}}{37}$	16 $\dfrac{28}{11}$	17 ④	18 $8-\sqrt{5}$	

1 ⑤ $(3a-1)(2a-5)=6a^2-17a+5$

2 $(3x+a)^2=9x^2+2\times 3x\times a+a^2$
$=9x^2+6ax+a^2$
$=9x^2+(b+5)x+25$
$a^2=25$이고 $a>0$이므로 $a=5$
$6a=b+5$에서 $6\times 5=b+5$
$\therefore b=25$
$\therefore a+b=5+25=30$

3 $(x-y)^2-(x+y)^2$
$=(x^2-2xy+y^2)-(x^2+2xy+y^2)$
$=x^2-2xy+y^2-x^2-2xy-y^2=-4xy$

4 ④ $(-x+2y)^2=\{-(x-2y)\}^2=(x-2y)^2$

5 $\left(\dfrac{1}{3}x+\dfrac{2}{5}y\right)\left(\dfrac{1}{3}x-\dfrac{2}{5}y\right)=\dfrac{1}{9}x^2-\dfrac{4}{25}y^2$
에 $x^2=9$, $y^2=25$를 대입하면
$\dfrac{1}{9}x^2-\dfrac{4}{25}y^2=\dfrac{1}{9}\times 9-\dfrac{4}{25}\times 25=1-4=-3$

6 $(x+3)(x-3)-(x-3)^2=x^2-9-(x^2-6x+9)$
$=6x-18$
따라서 x의 계수가 6, 상수항이 -18이므로 구하는 합은
$6+(-18)=-12$

7 $(x+y)(x-y)=x^2-y^2$
① $(x+y)(y-x)=(x+y)\{-(x-y)\}$
$=-(x+y)(x-y)=-x^2+y^2$
② $(x+y)(-x-y)=(x+y)\{-(x+y)\}$
$=-(x+y)^2=-x^2-2xy-y^2$
③ $(-x+y)(-x-y)=-(x-y)\{-(x+y)\}$
$=(x-y)(x+y)=x^2-y^2$
④ $(-x+y)(x+y)=\{-(x-y)\}(x+y)$
$=-(x-y)(x+y)=-x^2+y^2$
⑤ $(x-y)(-x-y)=(x-y)\{-(x+y)\}$
$=-(x-y)(x+y)=-x^2+y^2$

8 $(2x-1)(5x+a)=10x^2+(2a-5)x-a$
$=10x^2+bx-3$
에서 $-a=-3$ $\therefore a=3$
$\therefore b=2a-5=6-5=1$

9 $(2x-a)(bx+3)=2bx^2+(6-ab)x-3a$
$=6x^2+cx-15$
이므로 $2b=6$ $\therefore b=3$
$-3a=-15$ $\therefore a=5$
$6-ab=c$, $6-15=c$ $\therefore c=-9$
$\therefore a+b+c=5+3+(-9)=-1$

10 ① $2003^2=(2000+3)^2$으로 계산하는 것이 편하므로 $(a+b)^2$을 이용하는 것이 편리하다.
② $998^2=(1000-2)^2$으로 계산하는 것이 편하므로 $(a-b)^2$을 이용하는 것이 편리하다.

③ $1001\times 999=(1000+1)(1000-1)$으로 계산하는 것이 편하므로 $(a+b)(a-b)$를 이용하는 것이 편리하다.
④ $105\times 107=(100+5)(100+7)$로 계산하는 것이 편하므로 $(x+a)(x+b)$를 이용하는 것이 편리하다.
⑤ $102\times 98=(100+2)(100-2)$로 계산하는 것이 편하므로 $(a+b)(a-b)$를 이용하는 것이 편리하다.

11 (색칠한 부분의 넓이)$=(5x-2y)^2+(2y)^2$
$=25x^2-20xy+4y^2+4y^2$
$=25x^2-20xy+8y^2$

12 $(a+b)^2=a^2+2ab+b^2$이므로
$(a+b)^2=a^2+b^2+2ab$
$a^2+b^2=45$, $a+b=7$을 대입하면
$7^2=45+2ab$, $2ab=4$
$\therefore ab=2$

13 $(2+1)(2^2+1)(2^4+1)(2^8+1)=2^a-1$의 양변에
$(2-1)$을 곱하면
$(2-1)(2+1)(2^2+1)(2^4+1)(2^8+1)=2^a-1$
$(2^2-1)(2^2+1)(2^4+1)(2^8+1)=2^a-1$
$(2^4-1)(2^4+1)(2^8+1)=2^a-1$
$(2^8-1)(2^8+1)=2^a-1$
$2^{16}-1=2^a-1$
$\therefore a=16$

14 주어진 식을 전개하면
$-4+27+(3-6)\sqrt{6}$
$=23-3\sqrt{6}$이므로
$a=23$, $b=-3$
$\therefore \dfrac{a}{b}=-\dfrac{23}{3}$

15 (주어진 식)$=\dfrac{(2\sqrt{10}+\sqrt{3})^2}{(2\sqrt{10}-\sqrt{3})(2\sqrt{10}+\sqrt{3})}$
$=\dfrac{40+4\sqrt{30}+3}{40-3}$
$=\dfrac{43+4\sqrt{30}}{37}$

16 (주어진 식)$=\dfrac{(5+\sqrt{3})^2+(5-\sqrt{3})^2}{(\sqrt{3}-5)(\sqrt{3}+5)}$
$=\dfrac{(25+10\sqrt{3}+3)+(25-10\sqrt{3}+3)}{3-25}$
$=\dfrac{56}{-22}=-\dfrac{28}{11}$
$\therefore a=-\dfrac{28}{11}$, $b=0$ $\therefore -a+b=\dfrac{28}{11}$

17 $(a-b)^2=a^2+b^2-2ab$이므로
$2ab=a^2+b^2-(a-b)^2$
$=16-36=-20$
$\therefore ab=-10$

18 $\left(a-\dfrac{1}{a}\right)^2=a^2+\dfrac{1}{a^2}-2$이므로

$$6-\sqrt{5}+2=a^2+\dfrac{1}{a^2}$$

$$\therefore a^2+\dfrac{1}{a^2}=8-\sqrt{5}$$

6 다항식의 인수분해 (1)
p. 50~57

기본 체크
p. 50

01 (1) $(a+b)(x+y)$ (2) $(x-2)(y-1)$

02 (1) $(a+3)^2$ (2) $(a-2)^2$

(3) $(a+1)(a-1)$ (4) $(a+1)(a+2)$

대표 예제
p. 50~51

1 (1) 두 항 ax와 ay에 공통으로 들어 있는 인수는 $\boxed{a}$ 이므로
$ax+ay=\boxed{a}(x+y)$

(2) 두 항 $3x^2$과 $-6xy$에 공통으로 들어 있는 인수는 $\boxed{3x}$ 이므로 $3x^2-6xy=\boxed{3x}(x-2y)$

2 (1) $x^2+4x+4=x^2+\boxed{2}\times x\times 2+2^2=\boxed{(x+2)^2}$

(2) $x^2-6xy+9y^2=x^2-\boxed{2}\times x\times 3y+(3y)^2=\boxed{(x-3y)^2}$

3 (1) $x^2+6x+\boxed{}=x^2+2\times x\times 3+\boxed{}$
$\therefore \boxed{}=3^2=\boxed{9}$

(2) $x^2+\boxed{}x+49=x^2+\boxed{}x+(\boxed{\pm7})^2$
$\therefore \boxed{}=2\times(\boxed{\pm7})=\boxed{\pm14}$

4 (1) $a^2-4=a^2-2^2=(a+\boxed{2})(a-\boxed{2})$

(2) $4x^2-25y^2=(\boxed{2x})^2-(\boxed{5y})^2=\boxed{(2x+5y)(2x-5y)}$

(3) $a^2-7=(a+\boxed{\sqrt{7}})(a-\boxed{\sqrt{7}})$

(4) $16x^2-5y^2=(4x+\boxed{\sqrt{5}}\,y)(4x-\boxed{\sqrt{5}}\,y)$

5 (1) 곱이 $\boxed{6}$ 인 두 정수는 표와 같이 4가지이다. 이 중에서 합이 $\boxed{5}$ 인 것은 $\boxed{2,\,3}$ 이므로, 주어진 식을 인수분해하면
$x^2+5x+6=\boxed{(x+2)(x+3)}$

곱이 $\boxed{6}$ 인 두 정수	두 정수의 합
2, 3	5
−2, −3	−5
1, 6	7
−1, −6	−7

(2) 곱이 $\boxed{-10}$ 인 두 정수는 표와 같이 4가지이다. 이 중에서 합이 $\boxed{-3}$ 인 것은 $\boxed{2,\,-5}$ 이므로, 주어진 식을 인수분해하면
$x^2-3x-10=\boxed{(x+2)(x-5)}$

곱이 $\boxed{-10}$ 인 두 정수	두 정수의 합
1, −10	−9
−1, 10	9
2, −5	−3
−2, 5	3

어떤 교과서에나 나오는 문제
p. 52~53

01 ③	02 ①	03 ②	04 ③	05 ③
06 26	07 ③	08 (1) $x+2$ (2) $-x+2$		

1 ③ a^2b^2은 $a^2b(a-1)$의 인수가 아니다.

2 ② $ax-ay=a(x-y)$
③ $4x^2-6x=2x(2x-3)$
④ $-3x^2-6x=-3x(x+2)$
⑤ $x^2+xy+xz=x(x+y+z)$

3 ② $4x^2+4xy+y^2=(2x+y)^2$

4 다항식 $25x^2-Ax+4$가 $(5x-B)^2$으로 인수분해되므로
$B^2=4$ $\therefore B=2$ $(\because B>0)$
$A=10B=20$
$\therefore A+B=20+2=22$

5 ① $9x^2-6x+1=(3x-1)^2$
② $x^2+14x+49=(x+7)^2$
④ $4a^2-20ab+25b^2=(2a-5b)^2$
⑤ $\dfrac{1}{9}x^2-2x+9=\left(\dfrac{1}{3}x-3\right)^2$

6 이차식 $x^2+8x+k-10$이 완전제곱식이 되려면
$k-10=16$ $\therefore k=26$

7 $6x^2-7x-5=(2x+1)(3x-5)$
이므로 $a=1$, $b=-5$
$\therefore a-b=1-(-5)=6$

8 (1) $x>-2$이므로 $x+2>0$
$\sqrt{x^2+4x+4}=\sqrt{(x+2)^2}=x+2$

(2) $x<2$이므로 $x-2<0$
$\sqrt{x^2-4x+4}=\sqrt{(x-2)^2}=-(x-2)=-x+2$

시험에 꼭 나오는 문제
p. 54~57

01 ③	02 ⑤	03 ⑤	04 ②	05 ③
06 ②	07 ④	08 ②	09 ③	10 ⑤
11 ②	12 ③	13 ②	14 ①	15 ②
16 ④				

1 $B^2=64$에서 $B=8$ $(\because B>0)$

$A=2B=2\times8=16$

$\therefore A+B=8+16=24$

2 ① $x^2-x+\dfrac{1}{4}=\left(x-\dfrac{1}{2}\right)^2$

② $3a^2+12a+12=3(a+2)^2$

③ $16x^2-8x+1=(4x-1)^2$

④ $5y^2+10y+5=5(y+1)^2$

3 $x^3-x=x(x^2-1)=x(x-1)(x+1)$이므로

인수는 x, $x-1$, $x+1$, $(x-1)(x+1)=x^2-1$

4 $9x^2+(k-1)x+25$가 완전제곱식으로 인수분해되므로

$k-1=30$ 또는 $k-1=-30$이다.

따라서 $k=31$ 또는 $k=-29$이고 그 합은

$31+(-29)=2$

5 ③ $x^2-\dfrac{1}{9}y^2=\left(x-\dfrac{1}{3}y\right)\left(x+\dfrac{1}{3}y\right)$

6 정사각형 모양 액자의 넓이가 $4a^2+20ab+25b^2$이고 이는

$(2a+5b)^2$로 인수분해되므로 한 변의 길이는 $2a+5b$이다.

따라서 이 액자의 둘레의 길이는

$4(2a+5b)=8a+20b$

7 ① $2x^2-3x-2=(x-2)(2x+1)$

② $2x^2-x-1=(x-1)(2x+1)$

③ $4x^2-1=(2x+1)(2x-1)$

④ $6x^2-5x+1=(2x-1)(3x-1)$

⑤ $4x^2+4x+1=(2x+1)^2$

8 ② $16x^2-x=x(16x-1)$

9 $2x^2-ax-15=(2x+3)(bx+c)$로 인수분해되므로

$2b=2$에서 $b=1$

$3c=-15$에서 $c=-5$

$-a=2c+3b=2\times(-5)+3\times1=-7$

$\therefore a=7$

10 $x^2+2x-24=(x+6)(x-4)$

이므로 $a=6$, $b=-4$

$\therefore a-b=6-(-4)=10$

11 $x^2-ax-18=(x-2)(x+b)$에서

$-2b=-18$ $\therefore b=9$

$-a=-2+b=-2+9=7$

$\therefore a=-7$

$\therefore a+b=(-7)+9=2$

12 $3x^2-10xy+3y^2=(x-3y)(3x-y)$

13 $3x^2-48=3(x^2-16)=3(x+4)(x-4)$

$2x^2+3x-20=(x+4)(2x-5)$

따라서 두 다항식의 공통인수는 $x+4$이다.

14 $4x^2+ax-15=(2x+b)(cx-3)$에서

$2c=4$에서 $c=2$

$-3b=-15$에서 $b=5$

$a=-6+bc=-6+5\times2=4$

$\therefore a+b+c=4+5+2=11$

15 $2<x<3$에서 $x-2>0$, $x-3<0$이므로

$\sqrt{x^2-4x+4}+\sqrt{x^2-6x+9}$

$=\sqrt{(x-2)^2}+\sqrt{(x-3)^2}$

$=(x-2)-(x-3)$

$=x-2-x+3=1$

16 $12x^2-8x-15=(2x-3)(6x+5)$이므로 두 일차식의 합은

$(2x-3)+(6x+5)=8x+2$

---

7 **다항식의 인수분해 (2)** p. 58~65

기본 체크 p. 58

01 (1) $a(x+1)(x+2)$　　　(2) $(x+y)(a-2b)$

(3) $ab(x-2)(x+2)$

02 (1) 2340　(2) 9000

대표 예제 p. 58~59

1 (1) 공통으로 들어 있는 인수 $\boxed{a}$로 묶어 내면

$ax^2-4ax+4a=\boxed{a}(x^2-4x+4)=\boxed{a(x-2)^2}$

(2) 공통으로 들어 있는 인수 $\boxed{3m}$으로 묶어 내면

$3mx^2-6mxy+3my^2=\boxed{3m}(x^2-2xy+y^2)=\boxed{3m(x-y)^2}$

2 (1) $x^2+2xy+y^2-4=(\boxed{x+y})^2-2^2$

$\boxed{x+y}$로 치환하면

$(\boxed{x+y})^2-2^2=\boxed{t}^2-2^2=\boxed{(t-2)(t+2)}$

t 대신 $\boxed{x+y}$를 대입하면

$\boxed{(t-2)(t+2)}=(x+y-2)\boxed{(x+y+2)}$

(2) $\boxed{x+1}$로 치환하면

$\boxed{t^2-3t}+2=\boxed{(t-1)(t-2)}$

t 대신 $\boxed{x+1}$을 대입하면

$\boxed{(t-1)(t-2)}=(x+1-1)\boxed{(x+1-2)}=x(x-1)$

3 (1) $99^2-1=(\boxed{99+1})(99-1)=100\times98=\boxed{9800}$

(2) $3\times12.5^2-3\times10.5^2=\boxed{3}\times(12.5^2-10.5^2)$

$=3(12.5+10.5)\boxed{(12.5-10.5)}$

$=3\times23\times\boxed{2}$

$=\boxed{138}$

4 x^2-4x+4를 인수분해하면

$x^2-4x+4=\boxed{(x-2)^2}$

이 식에 $x=2-\sqrt{3}$을 대입하면

$\boxed{(x-2)^2}=(2-\sqrt{3}-\boxed{2})^2=(\boxed{-\sqrt{3}})^2=\boxed{3}$

01 $(a+2)(x+2y)(x-7y)$	02 $3a(a+2)$
03 ①	04 $(x-3y+5)(x-3y-5)$ 05 ③
06 10000 07 ⑤	08 -72

1 $(a+2)x^2-5xy(a+2)-14y^2(a+2)$
$=(a+2)(x^2-5xy-14y^2)$
$=(a+2)(x+2y)(x-7y)$

2 $A^2-B^2=(A+B)(A-B)$임을 이용하면
$(2a+1)^2-(a-1)^2$
$=\{(2a+1)+(a-1)\}\{(2a+1)-(a-1)\}$
$=3a(a+2)$

3 $xy-x-y+1=x(y-1)-(y-1)=(x-1)(y-1)$

4 $x^2-6xy+9y^2-25$
$=(x-3y)^2-5^2$
$=(x-3y+5)(x-3y-5)$

5 $98^2-2^2=(98+2)(98-2)=100\times96=9600$

6 $x^2-2xy+y^2=(x-y)^2=(111-11)^2=100^2=10000$

7 $a^2-b^2=24$이고 $a-b=3$이므로
$(a-b)(a+b)=24$, $3(a+b)=24$
$\therefore a+b=8$

8 $1^2-3^2+5^2-7^2+9^2-11^2$
$=(1+3)(1-3)+(5+7)(5-7)+(9+11)(9-11)$
$=-2(1+3+5+7+9+11)$
$=-2\times36=-72$

01 ③	02 ①	03 ①	04 ④	05 ①
06 ①	07 ②	08 ②	09 ②	
10 $(x+2)(x-9)$		11 $x-3$	12 $8x+8$	13 $\dfrac{5}{9}$
14 ①	15 ③	16 ③		

1 $(2x-y)(2x-y+1)-12$에서
$2x-y=A$라 하면
$A(A+1)-12=A^2+A-12=(A-3)(A+4)$
$\qquad\qquad\qquad\quad=(2x-y-3)(2x-y+4)$

2 $3(x+1)^2+10(x+1)-25$에서
$x+1=X$로 치환하면
$3X^2+10X-25$

$=(X+5)(3X-5)$
$=(x+1+5)\{3(x+1)-5\}$
$=(x+6)(3x-2)$

3 $x^2(x-2y)-9x+18y=x^2(x-2y)-9(x-2y)$
$\qquad\qquad\qquad\qquad=(x-2y)(x^2-9)$
$\qquad\qquad\qquad\qquad=(x-2y)(x+3)(x-3)$

4 $(x-1)^2-2(x-1)-8$에서
$x-1=A$라 놓으면
$A^2-2A-8=(A+2)(A-4)$
$\qquad\qquad\quad=(x-1+2)(x-1-4)$
$\qquad\qquad\quad=(x+1)(x-5)$
한편, $3x^2-13x-10=(3x+2)(x-5)$
따라서 두 식의 공통인수는 $x-5$이다.

5 $A^2-B^2=(A+B)(A-B)$임을 이용하면
$(3a+2)^2-(a-3)^2=(3a+2+a-3)(3a+2-a+3)$
$\qquad\qquad\qquad\qquad=(4a-1)(2a+5)$
이므로 $A=-1$, $B=5$
$\therefore A-B=-1-5=-6$

6 $(x-y)^2-10x+10y+25$
$=(x-y)^2-10(x-y)+25$
$x-y=A$로 치환하면 $A^2-10A+25$
$=(A-5)^2$
$=(x-y-5)^2$
이므로 $a=1$, $b=-1$, $c=-5$
$\therefore abc=5$

7 $x(x-3)+y(y+3)-2xy-4$
$=x^2-3x+y^2+3y-2xy-4$
$=x^2-2xy+y^2-3x+3y-4$
$=(x-y)^2-3(x-y)-4$
$x-y$를 A로 치환하면
$A^2-3A-4=(A+1)(A-4)$
$=(x-y-4)(x-y+1)$
따라서 두 일차식의 차는
$(x-y+1)-(x-y-4)=5$

8 $x^8-1=(x^4+1)(x^4-1)$
$\qquad\quad=(x^4+1)(x^2+1)(x^2-1)$
$\qquad\quad=(x^4+1)(x^2+1)(x+1)(x-1)$
$\therefore a+b=4+2=6$

9 $x(x-1)(x-2)(x-3)+1$
$=\{x(x-3)\}\{(x-1)(x-2)\}+1$
$=(x^2-3x)(x^2-3x+2)+1$
x^2-3x를 A로 치환하면
$A(A+2)+1=A^2+2A+1$
$=(A+1)^2$

$$=(x^2-3x+1)^2$$
$$\therefore a=1,\ b=-3,\ c=1$$
$$\therefore a+b+c=1-3+1=-1$$

10 민서는 x의 계수를 잘못 보았으므로
$$(x-3)(x+6)=x^2+3x-18$$
의 상수항 -18은 옳게 보았다.
준희는 상수항을 잘못 보았으므로
$$(x+1)(x-8)=x^2-7x-8$$
의 이차항과 x의 계수 -7은 옳게 보았다.
따라서 처음 주어진 이차식이 $x^2-7x-18$이므로
인수분해하면 $(x+2)(x-9)$

11 그림에서 도형 A의 색칠된 부분의 넓이는 $(x-5)^2-2^2$
즉, $(x-5+2)(x-5-2)=(x-3)(x-7)$이고
도형 B와 그 넓이가 같고 도형 B의 세로의 길이가
$x-7$이므로 도형 B의 가로의 길이는 $x-3$이다.

12 그림의 세 종류의 막대 모형 15개를 모두 사용하여 만든 직사각
형의 넓이는
$$4x^2+8x+3=(2x+1)(2x+3)$$
이므로 새로 만든 직사각형의 가로와 세로의 길이는 각각
$2x+1$, $2x+3$이다.
따라서 구하는 둘레의 길이는
$$2(2x+1)+2(2x+3)=8x+8$$

13 $\left(1-\dfrac{1}{2^2}\right)\times\left(1-\dfrac{1}{3^2}\right)\times\cdots\times\left(1-\dfrac{1}{8^2}\right)\times\left(1-\dfrac{1}{9^2}\right)$
$$=\left(1-\frac{1}{2}\right)\times\left(1+\frac{1}{2}\right)\times\left(1-\frac{1}{3}\right)\times\left(1+\frac{1}{3}\right)\times\cdots$$
$$\times\left(1-\frac{1}{8}\right)\times\left(1+\frac{1}{8}\right)\times\left(1-\frac{1}{9}\right)\times\left(1+\frac{1}{9}\right)$$
$$=\frac{1}{2}\times\frac{3}{2}\times\frac{2}{3}\times\frac{4}{3}\times\cdots\times\frac{7}{8}\times\frac{9}{8}\times\frac{8}{9}\times\frac{10}{9}$$
$$=\frac{1}{2}\times\frac{10}{9}=\frac{5}{9}$$

14 ① $a^2+2ab+b^2=(a+b)^2$
997을 A라고 하면
$A^2+6A+9=(A+3)^2$이므로
$$997^2+6\times997+9=997^2+2\times997\times3+3^2$$
$$=(997+3)^2$$

15 $x^2+2xy+y^2=(x+y)^2$
$$=\{(2-\sqrt{3})+(2+\sqrt{3})\}^2$$
$$=4^2=16$$

16 $x-2=A$라 하면
$(x-2)^2-4(x-2)+4=A^2-4A+4$
$$=(A-2)^2$$
$$=(x-2-2)^2$$
$$=(x-4)^2$$
이때 $x=4+\sqrt{3}$이므로
$(x-4)^2=(4+\sqrt{3}-4)^2=(\sqrt{3})^2=3$

단원종합문제   p. 66~69

01 ④	02 ③, ④	03 ③	04 ②	05 ④
06 14	07 ④	08 $\dfrac{29+24\sqrt{2}}{23}$		09 ②
10 23	11 4	12 56	13 ⑤	14 ④
15 ⑤	16 ③	17 ⑤	18 ①	19 ③
20 ④	21 ⑤	22 ④	23 $\dfrac{11}{20}$	24 2017

01 (주어진 식)
$$=x^2-y^2-4x^2+9y^2$$
$$=-3x^2+8y^2$$

02 ① $(\sqrt{3}-\sqrt{6})(\sqrt{3}+\sqrt{6})=3-6=-3$
② $(2\sqrt{2}+3)^2=8+12\sqrt{2}+9=17+12\sqrt{2}$
③ $(\sqrt{5}-\sqrt{3})^2=5-2\sqrt{15}+3=8-2\sqrt{15}$
④ $(2\sqrt{3}+2\sqrt{7})(2\sqrt{3}-2\sqrt{7})=12-28=-16$
⑤ $(3\sqrt{5}+2)(4\sqrt{6}-2)=12\sqrt{30}-6\sqrt{5}+8\sqrt{6}-4$

03 $(x+a)(2x-1)$
$$=2x^2+(2a-1)x-a$$
$$=2x^2+x-a$$
$$\therefore 2a-1=1,\ a=1$$

04 $(3a-1)^2(3a+1)^2=\{(3a-1)(3a+1)\}^2$
$$=(9a^2-1)^2$$
$$=81a^4-2\times9a^2\times1+1$$
$$=81a^4-18a^2+1$$
$$\therefore 81+(-18)=63$$

05 (화단의 넓이)$=(4x-y)(3x-y)$
$$=12x^2+(-4-3)xy+y^2$$
$$=12x^2-7xy+y^2$$

06 $x^2+\dfrac{1}{x^2}=\left(x+\dfrac{1}{x}\right)^2-2$이므로
$x+\dfrac{1}{x}=4$를 대입하면
$$x^2+\frac{1}{x^2}=4^2-2=16-2=14$$

07 $(2\sqrt{3}-4)(2\sqrt{3}+4)+5\sqrt{3}$
$$=12-16+5\sqrt{3}=-4+5\sqrt{3}$$

08 $\dfrac{(4\sqrt{2}+3)^2-12}{(4\sqrt{2}+3)(4\sqrt{2}-3)}$
$$=\frac{32+24\sqrt{2}+9-12}{32-9}$$
$$=\frac{29+24\sqrt{2}}{23}$$

09 $(x+3y-2)(x-3y+2)$
$$=\{x+(3y-2)\}\{x-(3y-2)\}$$
$$=x^2-(3y-2)^2$$
$$=x^2-(9y^2-12y+4)$$
$$=x^2-9y^2+12y-4$$

10 $x^2-5x+1=0$

양변을 x로 나누면

$x-5+\dfrac{1}{x}=0$, $x+\dfrac{1}{x}=5$

$x^2+\dfrac{1}{x^2}=\left(x+\dfrac{1}{x}\right)^2-2=25-2=23$

11 $x=\dfrac{\sqrt{3}+1}{\sqrt{3}-1}=\dfrac{3+2\sqrt{3}+1}{3-1}$

$\quad=2+\sqrt{3}$

$x+\dfrac{1}{x}=\dfrac{(2+\sqrt{3})^2(2-\sqrt{3})+(2-\sqrt{3})}{(2+\sqrt{3})(2-\sqrt{3})}$

$\quad=\dfrac{(2+\sqrt{3})(2+\sqrt{3})(2-\sqrt{3})+(2-\sqrt{3})}{4-3}$

$\quad=(2+\sqrt{3})(4-3)+(2-\sqrt{3})$

$\quad=2+\sqrt{3}+2-\sqrt{3}=4$

12 $(x+1)(x-4)(x+3)(x-2)$

$=(x+1)(x-2)(x+3)(x-4)$

$=(x^2-x-2)(x^2-x-12)$

$x^2-x+2=0$이므로

$x^2-x=-2$

$\therefore (-2-2)\times(-2-12)=-4\times(-14)=56$

13 $x^2-8x+13=(x-4)^2-16+13$

$\qquad\qquad\quad=(x-4)^2-3$

$\qquad\qquad\quad=(\sqrt{3}-2\sqrt{2}+4-4)^2-3$

$\qquad\qquad\quad=(\sqrt{3}-2\sqrt{2})^2-3$

$\qquad\qquad\quad=3-4\sqrt{6}+8-3$

$\qquad\qquad\quad=8-4\sqrt{6}$

14 $(a-b)^2+2ab=a^2+b^2$

$16+2ab=8$, $ab=-4$이므로

$\dfrac{a}{b}+\dfrac{b}{a}=\dfrac{a^2+b^2}{ab}$

$\qquad\quad=\dfrac{8}{-4}=-2$

15 $a^3-16a=a(a^2-16)=a(a^2-4^2)$

$\qquad\qquad=a(a+4)(a-4)$

따라서 보기 중 a^3-16a의 인수가 아닌 것은 a^2이다.

16 $x^2-x-30=(x-6)(x+5)$이므로 $a=6$, $b=-5$

$\therefore a-b=6-(-5)=11$

17 ① $\dfrac{1}{4}x^2-3x+9=\left(\dfrac{1}{2}x-3\right)^2$

② $4x^2+20x+25=(2x+5)^2$

③ $x^4+2x^2+1=(x^2+1)^2$

④ $x^2+6x+9=(x+3)^2$

18 $x^2-9=(x+3)(x-3)$

$x^2-3x-18=(x+3)(x-6)$

따라서 공통인수는 $x+3$이다.

19 ③ $x^2-x-12=(x+3)(x-4)$

20 $6x^2-ax-15=(x-5)(bx+c)$로 인수분해되므로 $b=6$

$-5c=-15$에서 $c=3$

$-a=c-5b=3-5\times6=-27$

$\therefore a=27$

21 $\dfrac{(a-1)(a-5)}{a-1}=a-5$이고, $a=3\sqrt{2}+5$이므로

$a-5=3\sqrt{2}$

22 $A=\sqrt{(x-1)^2}+\sqrt{(x-3)^2}$

ㄱ. $x<1$일 때, $A=-(x-1)-(x-3)=-2x+4$

ㄴ. $1<x<3$일 때, $A=(x-1)-(x-3)=2$

ㄷ. $x>5$일 때, $A=(x-1)+(x-3)=2x-4$

따라서 옳은 것은 ㄴ, ㄷ이다.

23 $\left(1-\dfrac{1}{2^2}\right)\times\left(1-\dfrac{1}{3^2}\right)\times\cdots\times\left(1-\dfrac{1}{9^2}\right)\times\left(1-\dfrac{1}{10^2}\right)$

$=\left(1-\dfrac{1}{2}\right)\times\left(1+\dfrac{1}{2}\right)\times\left(1-\dfrac{1}{3}\right)\times\left(1+\dfrac{1}{3}\right)\times\cdots$

$\qquad\times\left(1-\dfrac{1}{9}\right)\times\left(1+\dfrac{1}{9}\right)\times\left(1-\dfrac{1}{10}\right)\times\left(1+\dfrac{1}{10}\right)$

$=\dfrac{1}{2}\times\dfrac{3}{2}\times\dfrac{2}{3}\times\dfrac{4}{3}\times\cdots\times\dfrac{8}{9}\times\dfrac{10}{9}\times\dfrac{9}{10}\times\dfrac{11}{10}$

$=\dfrac{1}{2}\times\dfrac{11}{10}=\dfrac{11}{20}$

24 $2020=A$라 하면, $2014=A-6$

$2020\times2014+9=A(A-6)+9$

$\qquad\qquad\qquad\quad=A^2-6A+9$

$\qquad\qquad\qquad\quad=(A-3)^2$

$\qquad\qquad\qquad\quad=(2020-3)^2$

$\qquad\qquad\qquad\quad=2017^2$

Ⅲ. 이차방정식

8 이차방정식의 풀이 (1)   p. 70~77

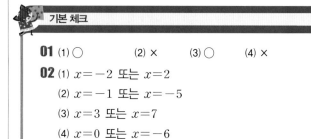

기본 체크   p. 70

01 (1) ◯   (2) ×   (3) ◯   (4) ×

02 (1) $x=-2$ 또는 $x=2$

(2) $x=-1$ 또는 $x=-5$

(3) $x=3$ 또는 $x=7$

(4) $x=0$ 또는 $x=-6$

1 (1) $x^2+x=0$의 x에 $\boxed{-1}$을 대입하면

$(-1)^2+(-1)=1-1=0$

으로 $\boxed{\text{참}}$이 된다.

따라서 $x=-1$은 주어진 이차방정식의 $\boxed{\text{해이다}}$.

(2) $x^2-2x-1=0$의 x에 1을 대입하면

$1^2-2\times1-1=1-2-1=-2\neq0$

으로 $\boxed{\text{거짓}}$이다.

따라서 $x=1$은 주어진 이차방정식의 $\boxed{\text{해가 아니다}}$.

2 (1) 좌변을 인수분해하면 $\boxed{(x+3)(x-1)}=0$

$x+3=0$ 또는 $\boxed{x-1}=0$

따라서 $x=-3$ 또는 $x=\boxed{1}$

(2) 좌변을 인수분해하면 $\boxed{(2x-3)(x-1)}=0$

$2x-3=0$ 또는 $\boxed{x-1}=0$

따라서 $x=\dfrac{3}{2}$ 또는 $x=\boxed{1}$

3 (1) 좌변의 -2를 우변으로 이항하면 $\boxed{(x-1)^2=2}$

$x-1$은 2의 제곱근이므로 $\boxed{x-1=\pm\sqrt{2}}$

좌변의 -1을 우변으로 이항하면 $\boxed{x=1\pm\sqrt{2}}$

(2) 좌변의 -3을 우변으로 이항하면 $\boxed{(2x-1)^2=3}$

$2x-1$은 3의 제곱근이므로 $\boxed{2x-1=\pm\sqrt{3}}$

좌변의 -1을 우변으로 이항하면 $\boxed{2x=1\pm\sqrt{3}}$

양변을 2로 나누면 $x=\boxed{\dfrac{1\pm\sqrt{3}}{2}}$

4 x^2의 계수가 1이 되도록 양변을 2로 나누면 $\boxed{x^2-3x+\dfrac{1}{2}=0}$

상수항을 우변으로 이항하면 $\boxed{x^2-3x=-\dfrac{1}{2}}$

x의 계수 -3의 $\dfrac{1}{2}$의 제곱인 $\left(-3\times\dfrac{1}{2}\right)^2$을 양변에 더하면

$x^2-3x+\boxed{\left(-\dfrac{3}{2}\right)^2}=-\dfrac{1}{2}+\boxed{\dfrac{9}{4}}$

좌변을 완전제곱식으로 나타내면 $\boxed{\left(x-\dfrac{3}{2}\right)^2=\dfrac{7}{4}}$

제곱근을 구하면 $\boxed{x-\dfrac{3}{2}=\pm\dfrac{\sqrt{7}}{2}}$

따라서 $x=\boxed{\dfrac{3}{2}+\dfrac{\sqrt{7}}{2}}=\boxed{\dfrac{3\pm\sqrt{7}}{2}}$

01 ④	02 ②	03 ②	04 ②	05 ②
06 36	07 −12	08 ③		

1 ④ $(x+1)(x-1)=x^2-x$에서

$x^2-1=x^2-x$, $x-1=0$

이므로 일차방정식이다.

2 $x^2+3x-a=0$의 한 근이 -1이므로 대입하면

$(-1)^2+3\times(-1)-a=0$

$1-3-a=0$ $\quad\therefore a=-2$

3 $\left(x+\dfrac{1}{2}\right)(x-2)=0$의 해는

$x=-\dfrac{1}{2}$ 또는 $x=2$

$(2x-1)(2x+1)=0$의 해는

$x=\dfrac{1}{2}$ 또는 $x=-\dfrac{1}{2}$

따라서 공통인 해는 $x=-\dfrac{1}{2}$

4 $x^2-3x-10=0$에서

$(x+2)(x-5)=0$

$\therefore x=-2$ 또는 $x=5$

5 이차방정식 $3x^2-6x+a=0$의 한 근이 3이므로 대입하면

$27-18+a=0$ $\therefore a=-9$

$3x^2-6x-9=0$에서 $x^2-2x-3=0$

$(x+1)(x-3)=0$

$\therefore x=-1$ 또는 $x=3$

따라서 다른 한 근은 -1이다.

6 이차방정식 $x^2+12x+k=0$이 중근을 가지려면 좌변의 이차식이 완전제곱식이 되어야 하므로

$k=36$

7 이차방정식 $5(x+a)^2=b$에서

$(x+a)^2=\dfrac{b}{5}$, $x+a=\pm\sqrt{\dfrac{b}{5}}$, $x=-a\pm\sqrt{\dfrac{b}{5}}$

즉, $-a=2$, $\dfrac{b}{5}=2$이므로

$a=-2$, $b=10$

$\therefore a-b=-2-10=-12$

8 이차방정식 $3x^2+18x-9=0$에서

$3x^2+18x=9$, $x^2+6x=3$

$x^2+6x+9=3+9$

$(x+3)^2=12$

01 ⑤	02 ①	03 ④	04 ①	05 ⑤
06 ②, ④	07 ③	08 ⑤	09 ③	10 ⑤
11 $-\dfrac{21}{4}$	12 ④	13 ②	14 ②	15 ⑤
16 ①				

1 ⑤ $x^2-9=x^2-3x-2$

$\therefore 3x-7=0$ (일차방정식)

2 $(a+1)x^2-2x=2(x+1)$ 이 이차방정식이 되려면
$a+1\neq0$ 이어야 하므로 $a\neq-1$

3 $x=2$ 를 대입하여 등식이 성립하는 것을 찾는다.
① $2^2-2\neq0$ (거짓)
② $2^2-2\times2-1\neq0$ (거짓)
③ $2^2+4\neq0$ (거짓)
④ $2^2-3\times2+2=0$ (참)
⑤ $2^2-2\times2+3\neq0$ (거짓)

4 $x^2+ax-6=0$ 에 $x=-2$ 를 대입하면
$(-2)^2+a\times(-2)-6=0$
$-2a-2=0,\ -2a=2$
$\therefore a=-1$

5 $x=k$ 를 $2x^2-8x+1=0$ 에 대입하면
$2k^2-8k+1=0$ 에서
$k^2-4k+\dfrac{1}{2}=0$
$\therefore 4k-k^2=\dfrac{1}{2}$

6 ① $x+\dfrac{1}{2}=0$ 또는 $x-3=0$ 이므로
$x=-\dfrac{1}{2}$ 또는 $x=3$

② $x-\dfrac{1}{2}=0$ 또는 $x+3=0$ 이므로
$x=\dfrac{1}{2}$ 또는 $x=-3$

③ $x+\dfrac{1}{2}=0$ 또는 $x+3=0$ 이므로
$x=-\dfrac{1}{2}$ 또는 $x=-3$

④ $2x-1=0$ 또는 $x+3=0$ 이므로
$x=\dfrac{1}{2}$ 또는 $x=-3$

⑤ $2x+1=0$ 또는 $x-3=0$ 이므로
$x=-\dfrac{1}{2}$ 또는 $x=3$

7 $x^2+ax-6=0$ 에 $x=-3$ 을 대입하면
$9-3a-6=0,\ -3a=-3$
$\therefore a=1$
$x^2+ax-6=0$ 에 $a=1$ 을 대입하면
$x^2+x-6=0$ 에서 $(x-2)(x+3)=0$
이므로 다른 한 근은 2 이다.
$3x^2-8x+b=0$ 에 $x=2$ 를 대입하면
$12-16+b=0$ $\therefore b=4$
$\therefore a+b=5$

8 $x^2-4x-12=0$ 에서 $(x+2)(x-6)=0$
$\therefore x=-2$ 또는 $x=6$
따라서 $x^2-ax-6=0$ 의 한 근이 6 이므로
$36-6a-6=0$ $\therefore a=5$

9 ③ $(x+3)^2=0$ 이므로 중근 $x=-3$ 을 가진다.

10 주어진 이차방정식이 중근을 갖기 위해서는
$\left(\dfrac{-8}{2}\right)^2=1+k$ $\therefore k=15$

11 $x^2-(k+2)x+9=0$ 이 중근을 가지므로
$k+2=\pm6$ $\therefore k=4\ (\because k>0)$
$x^2+ax+5=0$ 에 $x=4$ 를 대입하면
$16+4a+5=0,\ 4a=-21$
$\therefore a=-\dfrac{21}{4}$

12 $(x-2)^2=k$ 에서 $x-2=\pm\sqrt{k},\ x=2\pm\sqrt{k}$
$\therefore x=2+\sqrt{k}$ 또는 $x=2-\sqrt{k}$
두 근의 곱이 -2 이므로
$(2+\sqrt{k})(2-\sqrt{k})=-2$
$4-k=-2$ $\therefore k=6$

13 $(x-3)(x-5)=9$ 에서 $x^2-8x+6=0$
$x^2-8x+16=-6+16$
$(x-4)^2=10$
$\therefore a=-4,\ b=10$
$\therefore a+b=-4+10=6$

14 $2x^2-10x+3=0$ 에서 $x^2-5x=-\dfrac{3}{2}$
$x^2-5x+\dfrac{25}{4}=-\dfrac{3}{2}+\dfrac{25}{4}$
$\left(x-\dfrac{5}{2}\right)^2=\dfrac{19}{4}$
$x-\dfrac{5}{2}=\pm\dfrac{\sqrt{19}}{2}$
$\therefore x=\dfrac{5\pm\sqrt{19}}{2}$
따라서 $A=5,\ B=19$ 이므로 $A+B=24$

15 $2x^2-x-3=0$ 에서 $(x+1)(2x-3)=0$
$\therefore x=-1$ 또는 $x=\dfrac{3}{2}$
$2x^2-5x+3=0$ 에서 $(x-1)(2x-3)=0$
$\therefore x=1$ 또는 $x=\dfrac{3}{2}$
따라서 공통인 근은 $x=\dfrac{3}{2}$

16 $x^2+x-6=0$ 의 좌변을 인수분해하면
$(x-2)(x+3)=0$

$\therefore x=2$ 또는 $x=-3$ ······ ㉠
$2x^2+5x-3=0$의 좌변을 인수분해하면
$(2x-1)(x+3)=0$
$\therefore x=\dfrac{1}{2}$ 또는 $x=-3$ ······ ㉡
㉠, ㉡에서 공통인 근은 $x=-3$
이때 공통인 근 $x=-3$이 $x^2-mx+3=0$의 한 근이므로
$(-3)^2-m\times(-3)+3=0$, $3m=-12$
$\therefore m=-4$

9 이차방정식의 풀이 (2)　　p. 78~85

 기본 체크　　p. 78

01 ㉠ : 3, ㉡ : 8, ㉢ : 1

02 (1) 두 근의 합 -3, 두 근의 곱 -1
　　(2) 두 근의 합 2, 두 근의 곱 -3

대표 예제　　p. 78~79

1 근의 공식에 $a=\boxed{3}$, $b=\boxed{5}$, $c=\boxed{-3}$을 대입하면
$$x=\frac{-\boxed{5}\pm\sqrt{5^2-\boxed{4}\times 3\times(\boxed{-3})}}{2\times\boxed{3}}=\boxed{\frac{-5\pm\sqrt{61}}{6}}$$

2 괄호를 풀면 $x^2-2x=15$
우변의 15를 좌변으로 이항하면 $x^2-2x-15=0$
좌변을 인수분해하면 $\boxed{(x+3)(x-5)=0}$
$\boxed{x+3}=0$ 또는 $\boxed{x-5}=0$
따라서 $x=\boxed{-3}$ 또는 $x=\boxed{5}$

3 (1) 양변에 10을 곱하면 $2x^2+10x-1=0$
근의 공식에 $a=\boxed{2}$, $b=\boxed{10}$, $c=\boxed{-1}$을 대입하면
$$x=\frac{-\boxed{10}\pm\sqrt{10^2-4\times\boxed{2}\times(\boxed{-1})}}{2\times\boxed{2}}$$
$$=\frac{-\boxed{10}\pm\sqrt{108}}{4}=\frac{-\boxed{10}\pm 6\sqrt{3}}{4}$$
$$=\boxed{\frac{-5\pm 3\sqrt{3}}{2}}$$

(2) 양변에 분모의 최소공배수 6을 곱하면 $2x^2-6x+3=0$
근의 공식에 $a=\boxed{2}$, $b=\boxed{-6}$, $c=\boxed{3}$을 대입하면
$$x=\frac{\boxed{6}\pm\sqrt{(-6)^2-4\times\boxed{2}\times\boxed{3}}}{2\times\boxed{2}}$$
$$=\frac{\boxed{6}\pm\sqrt{12}}{4}=\frac{\boxed{6}\pm 2\sqrt{3}}{4}$$
$$=\boxed{\frac{3\pm\sqrt{3}}{2}}$$

4 근과 계수와의 관계에 의해
$\boxed{-\dfrac{b}{2}}=5$, $\boxed{\dfrac{c}{2}}=6$이므로 $b=\boxed{-10}$, $c=\boxed{12}$
$\therefore b+c=\boxed{2}$

어떤 교과서에나 나오는 문제　　p. 80~81

| 01 28 | 02 ① | 03 ⑤ | 04 ③ | 05 ④ |
| 06 ① | 07 ② | 08 ④, ⑤ | | |

1 $3x^2-x=x^2-6x+1$에서
$3x^2-x-x^2+6x-1=0$
$2x^2+5x-1=0$
$$\therefore x=\frac{-5\pm\sqrt{5^2-4\times 2\times(-1)}}{2\times 2}$$
$$=\frac{-5\pm\sqrt{25+8}}{4}=\frac{-5\pm\sqrt{33}}{4}$$
따라서 $A=-5$, $B=33$이므로
$A+B=(-5)+33=28$

2 $(x+3)^2=2x(x-1)$에서
$x^2+6x+9=2x^2-2x$
$x^2-8x-9=0$
$(x+1)(x-9)=0$
$\therefore x=-1$ 또는 $x=9$

3 양변에 10을 곱하면 $x^2+4x-10=0$
x의 계수가 짝수일 때의 근의공식을 이용하면
$$x=\frac{-2\pm\sqrt{4-(-10)}}{1}=-2\pm\sqrt{14}$$
$\therefore k=14$

4 $\dfrac{1}{2}x^2-\dfrac{1}{3}=\dfrac{x+1}{6}$에서
$6\left(\dfrac{1}{2}x^2-\dfrac{1}{3}\right)=6\left(\dfrac{x+1}{6}\right)$
$3x^2-2=x+1$
$3x^2-x-3=0$
$$\therefore x=\frac{-(-1)\pm\sqrt{(-1)^2-4\times 3\times(-3)}}{2\times 3}$$
$$=\frac{1\pm\sqrt{1+36}}{6}=\frac{1\pm\sqrt{37}}{6}$$

5 주어진 식을 전개하여 정리하면
$5x^2-13x-6=0$, $(5x+2)(x-3)=0$
$\therefore x=-\dfrac{2}{5}$ 또는 $x=3$
따라서 $\alpha=-\dfrac{2}{5}$, $\beta=3$이므로
$5\alpha+\beta=5\times\left(-\dfrac{2}{5}\right)+3=1$

6 $x-1=X$로 놓으면

$X^2-2X-15=0$

$(X-5)(X+3)=0$

$\therefore X=5$ 또는 $X=-3$

즉, $x-1=5$ 또는 $x-1=-3$이므로

구하는 해는 $x=6$ 또는 $x=-2$

7 $x-y=A$로 치환하면

$A(A+3)-18=0$, $A^2+3A-18=0$

$(A+6)(A-3)=0$

$\therefore A=-6$ 또는 $A=3$

즉, $x-y=-6$ 또는 $x-y=3$

이때 주어진 조건에서 $x>y$이므로

$x-y=3$

8 서로 다른 두 근을 가지려면

$b'^2-ac>0$이므로 $16-2(k-3)>0$

$16-2k+6>0$

$\therefore k<11$

시험에 꼭 나오는 문제   p. 82~85

01 ①	02 ④	03 ④	04 ②	05 ⑤
06 −7	07 ③	08 ①	09 ③	10 ②
11 ⑤	12 ④	13 ①	14 ②	15 ②
16 ③				

1 근의 공식에 $a=5$, $b=7$, $c=p$를 대입하면

$$x=\frac{-7\pm\sqrt{49-20p}}{10}=\frac{q\pm\sqrt{29}}{10}$$

에서 $q=-7$, $49-20p=29$이므로 $p=1$

$\therefore p+q=1+(-7)=-6$

2 $x=\dfrac{1\pm\sqrt{1+3a}}{a}=\dfrac{1\pm\sqrt{b}}{5}$

에서 $a=5$, $1+3a=b$이므로 $b=16$

$\therefore a+b=21$

3 분모의 최소공배수 12를 양변에 곱하면

$3x^2-10x-11=0$

짝수의 근의 공식에 대입하면

$$x=\frac{-(-5)\pm\sqrt{25+33}}{3}=\frac{5\pm\sqrt{58}}{3}$$

따라서 $A=5$, $B=58$이므로 $A+B=63$

4 $0.7x=0.2-\dfrac{1}{2}x^2$에서 $\dfrac{1}{2}x^2+0.7x-0.2=0$

양변에 10을 곱하면 $5x^2+7x-2=0$

$$x=\frac{-7\pm\sqrt{7^2-4\times5\times(-2)}}{2\times5}$$

$$=\frac{-7\pm\sqrt{89}}{10}$$

5 양변에 10을 곱하면 $x^2-2x-10=0$

$\therefore x=\dfrac{1\pm\sqrt{1-(-10)}}{1}=1\pm\sqrt{11}$

$\therefore k=11$

6 주어진 식의 양변에 4를 곱하여 정리하면

$12x-24+x^2+3=4x^2-4x-24$

$3x^2-16x-3=0$

$$\therefore x=\frac{-(-8)\pm\sqrt{(-8)^2-3\times(-3)}}{3}$$

$$=\frac{8\pm\sqrt{73}}{3}$$

따라서 $A=8$, $B=73$이므로

$B-10A=73-10\times8=-7$

7 $(a-b)^2-2(a-b)-35=0$에서

$a-b=t$라 하면 $t^2-2t-35=0$

$(t-7)(t+5)=0$

$\therefore t=7$ 또는 $t=-5$

즉, $a-b=7$ 또는 $a-b=-5$

$\therefore a-b=7(\because a>b)$

$\therefore a^2+b^2=(a-b)^2+2ab$

$=7^2+2\times(-2)$

$=49-4=45$

8 ① $(-6)^2-4\times4\times9<0$: 근이 없다.

② $4^2-4\times4\times1=0$: 근 1개

③ $(-2)^2-4\times1\times1=0$: 근 1개

④ $x^2-6x+9=0$이므로

$(-6)^2-4\times1\times9=0$: 근 1개

⑤ $x^2-4x+4=0$이므로

$(-4)^2-4\times1\times4=0$: 근 1개

9 ㄱ. $A=2$, $B=1$이면 $x^2+2x+1=0$이므로 중근을 갖는다.

ㄴ. $0^2-4\cdot1\cdot1<0$이므로 근이 없다.

ㄷ. $B<-1$이면 $A^2-4B>0$이므로 서로 다른 두 근을 갖는다.

따라서 옳은 것은 ㄷ이다.

10 $(-3)^2-4\times1\times(4-k)<0$

$\therefore k<\dfrac{7}{4}$

따라서 이를 만족하는 자연수 k는 1의 1개이다.

11 $(-6)^2-9\times(2a+1)=36-18a-9=0$

이면 중근을 가지므로

$36-18a-9=0$, $18a=27$

$\therefore a=\dfrac{3}{2}$

[다른 풀이]

$9x^2-12x+2a+1=0$에서

$(3x-2)^2=0$이어야 하므로

$2a+1=2^2=4$

$2a=3$ $\therefore a=\dfrac{3}{2}$

12 $x^2+2kx-5k+6=0$이 중근을 가지므로

$(k)^2-(-5k+6)=0$

$k^2+5k-6=0$, $(k+6)(k-1)=0$

$\therefore k=1(\because k>0)$

13 이차방정식의 근과 계수의 관계에 의하여

$-q=-(-8)$이므로 $q=-8$

$4p-1=3$이므로 $p=1$

$\therefore p+q=-7$

14 $x^2-(x-3)m+x+1=0$에서

$x^2-(m-1)x+3m+1=0$

두 근을 α, β라 하면

$\alpha+\beta=m-1$, $\alpha\beta=3m+1$

이때 $\alpha+\beta=\alpha\beta$이므로

$m-1=3m+1$

$\therefore m=-1$

15 $\alpha+\beta=-\dfrac{-5}{1}=5$, $\alpha\beta=\dfrac{3}{1}=3$

$\therefore \alpha^2+3\alpha\beta+\beta^2=(\alpha+\beta)^2+\alpha\beta=5^2+3=28$

16 $\alpha+\beta=2$, $\alpha\beta=k+1$이므로

$(\alpha+\beta)^2-2\alpha\beta=\alpha^2+\beta^2$에서

$4-2(k+1)=8$

$-2k=6$ $\therefore k=-3$

---

10 이차방정식의 활용　　p. 86~93

기본 체크　　p. 86

01 $a=-11$, $b=28$

02 4

대표 예제　　p. 86~87

1 연속하는 세 자연수를 x, $x+1$, $\boxed{x+2}$라고 하면

$(\boxed{x+2})^2=x^2+(x+1)^2-21$

괄호를 풀어 정리하면

$\boxed{x^2+4x+4}=2x^2+2x-20$

$x^2-2x-\boxed{24}=0$

$(x+\boxed{4})(x-\boxed{6})=0$

따라서 $x=\boxed{-4}$ 또는 $x=\boxed{6}$

그런데 x는 자연수이므로 $x=\boxed{6}$이고 연속하는 세 자연수는

$\boxed{6, 7, 8}$이다.

[검토]

$8^2+21=85$이고 $6^2+7^2=85$이므로 문제의 뜻에 맞다.

2 길의 폭을 x m라고 하면

$(\boxed{6-x})^2=16$, $x^2-12x+\boxed{20}=0$

$(x-\boxed{2})(x-\boxed{10})=0$

즉, $x=\boxed{2}$ 또는 $x=\boxed{10}$

이때 $0<x<6$이므로 $x=\boxed{2}$

따라서 길의 폭은 $\boxed{2\,\text{m}}$이다.

3 (1) 물 로켓을 쏘아 올린 지 t초 후의 높이를 20 m라 하고

방정식을 세우면

$\boxed{-5t^2+25t}=20$

이것을 정리하면 $\boxed{t^2-5t+4}=0$

좌변을 인수분해하면 $\boxed{(t-1)(t-4)}=0$

따라서 $t=\boxed{1}$ 또는 $t=\boxed{4}$

그러므로 지면으로부터 높이가 20 m일 때에는 물 로켓을 쏘아

올린 지 $\boxed{1}$초 후 또는 $\boxed{4}$초 후이다.

(2) 물 로켓이 지면에 떨어지면 높이는 $\boxed{0}$ m이므로

$\boxed{-5t^2+25t}=0$

이 방정식을 풀면 $-5t(t-5)=0$

따라서 $t=\boxed{0}$ 또는 $t=\boxed{5}$

그러므로 다시 지면에 떨어지는 것은 물 로켓을 쏘아 올린 지

$\boxed{5}$초 후이다.

어떤 교과서에나 나오는 문제　　p. 88~89

01 5, 6	02 14	03 11개	04 9, 11, 13
05 10초	06 14	07 2 cm **또는** 3 cm	08 1 m

1 연속하는 두 자연수 중 작은 수를 x라 하면 큰 수는 $x+1$이다.

$x^2+(x+1)^2=61$

$2x^2+2x-60=0$

$x^2+x-30=0$

$(x-5)(x+6)=0$

$\therefore x=5$ 또는 $x=-6$

이때 x는 자연수이므로 $x=5$이고 구하는 두 수는 5, 6이다.

2 차가 3인 두 자연수에서 큰 수를 x라 하면 작은 수는 $x-3$이다.

$x(x-3)=154$

$x^2-3x-154=0$

$(x+11)(x-14)=0$

$\therefore x=-11$ 또는 $x=14$

이때 x는 자연수이므로 $x=14$이고 구하는 자연수는 14이다.

3 n각형의 대각선의 총 수는 $\dfrac{n(n-3)}{2}$개이고 대각선의 총 수가

44개이므로

$\dfrac{n(n-3)}{2}=44$

$n(n-3)=88$

$n^2-3n-88=0$

$(n+8)(n-11)=0$

$\therefore n=-8$ 또는 $n=11$

이때 n은 자연수이므로 $n=11$

따라서 다각형의 변의 개수는 11개이다.

4 연속한 세 홀수 중 가운데 수를 x라 하면 가장 작은 홀수는 $x-2$, 가장 큰 수는 $x+2$이다.

가장 작은 수와 큰 수의 제곱의 합이 나머지 수의 20배보다 30만큼 크므로

$(x-2)^2+(x+2)^2=20x+30$

$2x^2-20x-22=0$

$2(x+1)(x-11)=0$

$\therefore x=-1$ 또는 $x=11$

따라서 가운데 수는 11이므로 구하는 세 홀수는 9, 11, 13이다.

5 물체가 다시 지면에 떨어지려면 높이가 0이 되는 시간을 구하면 된다.

$50t-5t^2=0$

$5t(10-t)=0$

$\therefore t=0$ 또는 $t=10$

이때 $t>0$이므로 10초 후이다.

6 학생의 수를 x명이라 하면 한 학생이 받는 사과의 수는 $x-4$(개)이다.

$x(x-4)=140$

$x^2-4x-140=0$

$(x+10)(x-14)=0$

$\therefore x=-10$ 또는 $x=14$

이때 x는 자연수이므로 $x=14$

따라서 학생의 수는 14명이다.

7 처음 정사각형의 한 변의 길이를 x cm라 하면 직사각형의 가로의 길이는 $(x+6)$ cm, 세로의 길이는 $(x-1)$ cm이고 처음 정사각형의 넓이의 2배가 되므로

$(x+6)(x-1)=2x^2$

$x^2-5x+6=0$

$(x-2)(x-3)=0$

$\therefore x=2$ 또는 $x=3$

따라서 처음 정사각형의 한 변의 길이는 2 cm 또는 3 cm이다.

8 길의 폭을 x m라 하면

$(11-x)(15-x)=140$

$165-26x+x^2=140$

$x^2-26x+25=0$

$(x-25)(x-1)=0$

$\therefore x=1(\because 0<x<11)$

따라서 길의 폭은 1 m이다.

시험에 꼭 나오는 문제　　　　　　　p. 90~93

01 ②	02 ③	03 ④	04 ④	05 ⑤
06 5	07 ③	08 ②	09 ⑤	10 ④
11 24명	12 ①	13 28	14 6 cm	
15 10 cm	16 ①			

1 연속하는 두 홀수를 $2x-1$, $2x+1$이라 하면

$(2x-1)(2x+1)=255$

$4x^2-256=0$

$x^2-64=0$

$(x+8)(x-8)=0$

$\therefore x=-8$ 또는 $x=8$

그런데 x는 자연수이므로 $x=8$

따라서 두 홀수는 15, 17이므로

$15+17=32$

2 $\dfrac{n(n-1)}{2}=78$이므로

$n^2-n-156=0$

$(n-13)(n+12)=0$

$\therefore n=13(\because n>0)$

3 $\dfrac{n(n-3)}{2}=77$에서

$n^2-3n-154=0$

$(n-14)(n+11)=0$

이때 $n>0$이므로 $n=14$

4 필요한 도로의 수는 n각형의 대각선의 총 수와 n각형의 변의 수의 합과 같으므로

$n+\dfrac{n(n-3)}{2}=28$

$2n+n^2-3n=56$

$n^2-n-56=0$

$(n-8)(n+7)=0$

$\therefore n=8$ 또는 $n=-7$

이때 $n>0$이므로 $n=8$

따라서 구하는 섬은 8개이다.

5 가장 작은 자연수를 x라고 하면 연속하는 4개의 자연수는 x, $x+1$, $x+2$, $x+3$이다.

가장 큰 수의 제곱에서 가장 작은 수의 제곱을 뺀 수는 나머지
두 수의 곱보다 33만큼 작으므로
$(x+3)^2-x^2=(x+1)(x+2)-33$
$x^2-3x-40=0$
$(x-8)(x+5)=0$
$\therefore x=8$ 또는 $x=-5$
따라서 가장 작은 자연수는 8이다.

6 가로와 세로의 줄 수의 합이 11이므로 가로의 줄 수를 x라 하면
세로의 줄 수는 $11-x$이다.
$x(11-x)=30$
$x^2-11x+30=0$
$(x-6)(x-5)=0$
$\therefore x=6$ 또는 $x=5$
세로의 줄 수가 가로의 줄 수보다 많다고 하였으므로 가로의 줄
수는 5이다.

7 학생 수를 x라고 하면 한 사람이 받는 도시락의 개수는
$x-2$이므로
$x(x-2)=63$
$x^2-2x-63=0$
$(x-9)(x+7)=0$
$\therefore x=9$ 또는 $x=-7$
이때 $x>0$이므로 학생 수는 9명이다.

8 온천 여행 날짜를 $(x-1)$일, x일, $(x+1)$일이라 하면
$(x-1)^2+x^2+(x+1)^2=110$
$3x^2=108$, $x^2=36$
$\therefore x=6(\because x>0)$
따라서 출발 날짜는 2월 5일이다.

9 $t=1$일 때 $h=-7\times1^2+42\times1=35(\text{m})$
또, $t=3$일 때 $h=-7\times3^2+42\times3=63(\text{m})$
따라서 두 높이의 차는 $63-35=28(\text{m})$

10 높이 $h=320$일 때 $80t-5t^2=320$
$t^2-16t+64=0$, $(t-8)^2=0$
$\therefore t=8$
즉, $t=8$초 후에 높이 320 m인 지점을 지난다.
또 땅에 떨어질 때는 $h=0$일 때이므로
$80t-5t^2=0$, $t^2-16t=0$, $t(t-16)=0$
$\therefore t=0$ 또는 $t=16$
그런데 $t=0$일 때는 처음 던졌을 때이므로 땅에 떨어질 때는
$t=16$, 즉 16초 후이다.
따라서 320 m 지점을 지난 후 땅에 떨어질 때까지 걸리는 시간
은 $16-8=8(초)$

11 반의 학생 수를 x라 하면
$\left(\dfrac{1}{8}x\right)^2+\dfrac{1}{2}x+3=x$, $\dfrac{1}{64}x^2+\dfrac{1}{2}x+3=x$
$\dfrac{1}{64}x^2-\dfrac{1}{2}x+3=0$
$x^2-32x+192=0$, $(x-8)(x-24)=0$
$\therefore x=8$ 또는 $x=24$

따라서 이 반의 학생수는 20명보다 많으므로 24명이다.

12 처음 원의 반지름의 길이를 x cm라고 하면 늘어난 원의 반지름
의 길이는 $(x+2)$cm이다.
$\pi(x+2)^2=3\pi x^2$
$2x^2-4x-4=0$
$x^2-2x-2=0$
$\therefore x=1\pm\sqrt{3}$
그런데 $x>0$이므로 처음 원의 반지름의 길이는 $(1+\sqrt{3})$cm이다.

13 가장 작은 정사각형의 한 변의 길이를 x라고 하면 가운데 정사
각형과 가장 큰 정사각형의 한 변의 길이는 각각
$x+2$, $x+4$이므로
$(x+4)^2=x^2+(x+2)^2$
$x^2+8x+16=x^2+x^2+4x+4$
$x^2-4x-12=0$, $(x+2)(x-6)=0$
$\therefore x=-2$ 또는 $x=6$
그런데 $x>0$이므로 $x=6$
$\therefore$ (색칠한 부분의 넓이)
$=$ (가운데 정사각형의 넓이)
$\qquad-$ (가장 작은 정사각형의 넓이)
$=8^2-6^2=64-36=28$

14 정사각형의 한 변의 길이를 x cm라 하면 다른 정사각형의 한
변의 길이는 $(9-x)$cm이고, 넓이의 합이 45 cm²이므로
$x^2+(9-x)^2=45$, $2x^2-18x+36=0$
$x^2-9x+18=0$
$(x-6)(x-3)=0$
$\therefore x=3$ 또는 $x=6$
$x=6$이면 $9-x=3$이고, $x=3$이면 $9-x=6$이므로 두 정사각
형의 한 변의 길이는 각각 3 cm, 6 cm이다.
따라서 구하는 정사각형의 한 변의 길이는 6 cm이다.

15 $\overline{\text{BD}}=x$ cm, $\overline{\text{DC}}=(14-x)$cm라 하면
$\triangle$ABC가 직각이등변삼각형이므로
$\overline{\text{DE}}=(14-x)$cm
$\square$BDEF$=x(14-x)=40$
$x^2-14x+40=0$
$(x-4)(x-10)=0$
$\therefore x=4$ 또는 $x=10$
이때 $\overline{\text{BD}}>\overline{\text{DC}}$이므로 $x=10(\text{cm})$

16 단면의 세로의 길이를 x cm라 하면 가로의 길이는
$(12-2x)$cm이므로
$x(12-2x)=16$
$x^2-6x+8=0$
$(x-2)(x-4)=0$
$\therefore x=2$ 또는 $x=4$
따라서 단면의 세로의 길이는 2 cm 또는 4 cm이다.

01 ⑤	02 ③	03 ③	04 ②	
05 $k<-\dfrac{1}{3}$	06 ④	07 ④	08 ①	09 ①
10 ⑤	11 ⑤	12 ④	13 ③	14 ③
15 ③	16 ④	17 ④	18 ①	19 $14x$
20 ⑤	21 6	22 10	23 55	
24 2 cm				

01 $2(x+3)(x-2)=3x^2+7$

$2x^2+2x-12-3x^2-7=0$

$-x^2+2x-19=0$

$\therefore a=2,\ b=19,\ ab=38$

02 $a^2-3a+1=0$

양변을 a로 나누면

$a-3+\dfrac{1}{a}=0,\ a+\dfrac{1}{a}=3$

03 $x^2-4ax+3-a=0$

$(-4a)^2-4\times1\times(3-a)=0$

$4a^2+a-3=0$

$(4a-3)(a+1)=0$

$a=\dfrac{3}{4}$ 또는 $a=-1$

여기서 a는 양수이므로 $a=\dfrac{3}{4}$

주어진 식에 $a=\dfrac{3}{4}$을 대입하면

$x^2-3x+\dfrac{9}{4}=\left(x-\dfrac{3}{2}\right)^2=0$이므로

중근은 $\dfrac{3}{2}$

$\therefore \dfrac{3}{4}+\dfrac{3}{2}=\dfrac{9}{4}$

04 $4(x+a)^2=32$

$\rightarrow (x+a)^2=8$

$\therefore x=-a\pm2\sqrt{2}$,

그러므로 $a=-3,\ b=2,\ a+b=-1$

05 $2(2x-1)^2=6k+2$

$\rightarrow 8x^2-8x+2-6k-2=0$

$b'^2-ac<0$일 때, 근이 없으므로

$(-4)^2-8\times(-6k)<0$이므로

$16+48k<0,\ k<-\dfrac{1}{3}$

06 중근이 -5이며, x^2의 계수가 -1인 이차방정식은

$-(x+5)^2=0$이므로

$-x^2-10x-25=0$

07 $x=\dfrac{-4\pm\sqrt{4^2-3\times(-13)}}{3}$

$=\dfrac{-4\pm\sqrt{16+39}}{3}=\dfrac{-4\pm\sqrt{55}}{3}$

$\therefore A=-4,\ B=55,\ A+B=51$

08 $a^2-6a+3=0$이므로

$a^2-6a=-3$

$a^2-6a-11=-3-11=-14$

09 x에 관한 이차방정식 $3x^2+ax+2a-1=0$의 한 근이 -1이므로 x에 -1을 대입하면 $3-a+2a-1=0$

$\therefore a=-2$

10 이차방정식 $x^2+2x-4=0$의 두 근이 $a,\ b$이므로

$a^2+2a-4=0$에서 $a^2+2a=4$

$b^2+2b-4=0$에서 $b^2+2b=4$

$\therefore (a^2+2a)(b^2+2b-1)+1=4\times(4-1)+1=13$

11 $2x^2-5=x(x-4)$에서 $2x^2-5=x^2-4x$

$x^2+4x-5=0$

$(x+5)(x-1)=0$

$\therefore x=-5$ 또는 $x=1$

이때 $a>b$이므로 $a=1,\ b=-5$

$\therefore a-b=1-(-5)=6$

12 $x^2-6x+8=0$에서

$(x-2)(x-4)=0$

$\therefore x=2$ 또는 $x=4$

따라서 두 근 중에서 작은 근은 2이므로

$ax^2-2x-a-5=0$에 대입하면

$4a-4-a-5=0,\ 3a=9$

$\therefore a=3$

13 이차방정식 $x^2-10x+p=0$이 중근을 가지려면

$x^2-10x+p$가 완전제곱식이어야 하므로

$p=\left(\dfrac{-10}{2}\right)^2=25$

14 이차방정식이 중근을 가지려면 (완전제곱식)$=0$의 꼴이므로

$b=0$

15 $x^2+5x-24=0$에서 $(x+8)(x-3)=0$

$\therefore x=-8$ 또는 $x=3$

$3x^2-10x+3=0$에서 $(3x-1)(x-3)=0$

$\therefore x=\dfrac{1}{3}$ 또는 $x=3$

따라서 공통인 근은 $x=3$이다.

16 $5(2x-1)+x^2-4=2(x-2)(x+3)$에서

$x^2+10x-9=2x^2+2x-12$

$x^2-8x-3=0$

$$\therefore x=\frac{-(-4)\pm\sqrt{(-4)^2-1\times(-3)}}{1}$$
$$=4\pm\sqrt{19}$$

따라서 $a=4+\sqrt{19}$이므로 $2a-8=2(4+\sqrt{19})-8=2\sqrt{19}$

17 한 근을 k라 하면 다른 한 근은 $k+2$이고
근과 계수의 관계에 의하여 두 근의 곱은 8이므로
$k\times(k+2)=8$에서 $k^2+2k-8=0$
$(k+4)(k-2)=0$
$\therefore k=2$
따라서 두 근은 2, 4이므로 근과 계수의 관계에 의하여
$-a=2+4=6$ $\therefore a=-6$

18 $-5t^2+25t+100=130$에서
$-5t^2+25t-30=0$
$t^2-5t+6=0$
$(t-2)(t-3)=0$
$\therefore t=2$ 또는 $t=3$
따라서 처음으로 지면으로부터 높이가 130m인 지점을 지나는
것은 2초 후이다.

19 $12x^2-xy-y^2=(3x-y)(4x+y)$이므로
세로의 길이는 $(4x+y)$이다.
따라서 이 직사각형의 둘레의 길이는
$2\{(3x-y)+(4x+y)\}=14x$

20 한 근을 a라고 하면, 다른 한 근은 $5a$이므로
$$-\frac{-6}{3}=a+5a,\ a=\frac{1}{3}$$
$$\frac{k}{3}=\frac{1}{3}\times\frac{5}{3}=\frac{5}{9}$$
$$\therefore k=\frac{5}{3}$$

21 $(2x-y)(2x-y-6)+5=0$에서
$2x-y=A$로 치환하면
$A(A-6)+5=0$
$A^2-6A+5=0$
$(A-5)(A-1)=0$
즉, $(2x-y-5)(2x-y-1)=0$이므로
$2x-y=5$ 또는 $2x-y=1$
따라서 모든 $2x-y$의 값의 합은 6이다.

22 $x=k$를 $2x^2+ax-5=0$에 대입하면
$2k^2+ak-5=0$ $\therefore 2k^2+ak=5$
$\therefore 2k^2+ak+5=5+5=10$

23 이차방정식 $x^2+ax+b=0$의 두 근이 연속하는 양의 정수이므
로 n, $n+1$이라 하면 두 근의 제곱의 차가 17이므로
$(n+1)^2-n^2=17$, $2n+1=17$
$\therefore n=8$
따라서 두 근은 8, 9이다.
주어진 이차방정식은 $(x-8)(x-9)=0$이므로
$x^2-17x+72=0$에서 $a=-17$, $b=72$
$\therefore a+b=(-17)+72=55$

24 잘라내는 정사각형의 한 변의 길이를 x cm라 하면
$(18-2x)^2=196$에서
$4x^2-72x+324=196$
$4x^2-72x+128=0$
$x^2-18x+32=0$
$(x-2)(x-16)=0$
$\therefore x=2$ 또는 $x=16$
이때 $x<9$이므로 $x=2$이다.
따라서 잘라내는 정사각형의 한 변의 길이는 2 cm이다.

Ⅳ. 이차함수와 그래프

11 이차함수와 $y=ax^2$의 그래프
p. 98~105

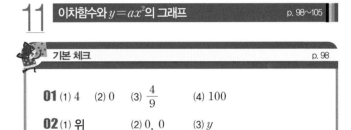

기본 체크
p. 98

01 (1) 4   (2) 0   (3) $\frac{4}{9}$ (4) 100

02 (1) 위   (2) 0, 0   (3) y

대표 예제
p. 98~99

1 각 함수를 식으로 나타내면 다음과 같다.
(1) $y=\boxed{10x}$
(2) $y=\boxed{4x}$
(3) $y=\boxed{20-x}$
(4) $y=\boxed{2x^2+12x}$
따라서 이차함수인 것은 $\boxed{(4)}$이다.

2 (1) $f(x)=x^2-3x$의 x에 $\boxed{3}$을 대입하면
$f(3)=3^2-3\times3=\boxed{0}$
(2) $f(x)=x^2-3x$의 x에 $\boxed{-1}$을 대입하면
$f(-1)=(-1)^2-3\times(-1)=\boxed{4}$

3 (1) 위로 볼록한 그래프를 갖는 이차함수는 이차항의 계수가 음
수이므로 $\boxed{ㄱ}$, $\boxed{ㄹ}$
(2) 폭이 가장 좁은 그래프는 이차항의 계수의 절댓값이 가장 큰
것이므로 $\boxed{ㄱ}$
(3) x축에 대하여 대칭인 그래프를 갖는 이차함수는 이차항의 계
수의 절댓값이 같고, 부호는 반대이므로 $\boxed{ㄴ}$, $\boxed{ㄹ}$

4 $y=ax^2$의 그래프기 점 ($\boxed{\ }$, 2, 3)를 지니므로
$\boxed{3}=\boxed{4}a$ $\therefore a=\boxed{\dfrac{3}{4}}$

p. 100~101

어떤 교과서에나 나오는 문제

01 ⑤	02 $\dfrac{1}{2}$	03 ④	04 ②, ⑤	05 ②, ④
06 ③	07 ①	08 ②		

1 ⑤ $y=x^2-(x^2+x)$를 정리하면 $y=-x$로 y가 x에 관한 일차함수이다.

2 $f(x)=ax^2-2x+5$에서 $f(2)=3$이므로
$f(2)=4a-4+5=3$, $4a=2$
$\therefore a=\dfrac{1}{2}$

3 ④ $y=-\dfrac{3}{2}x^2$에 $(-6, 54)$를 대입하면
$54\neq-\dfrac{3}{2}\times(-6)^2=-54$

4 이차함수의 그래프가 아래로 볼록하면 이차항의 계수가 양수이다.

5 ① 아래로 볼록하다.
③ y축에 대하여 대칭이다.
⑤ $x>0$일 때, x의 값이 증가하면 y의 값도 증가한다.

6 $y=ax^2$의 그래프와 x축에 대하여 대칭인 그래프의 식은 $y=-ax^2$이다.

7 $y=-2x^2$의 축의 방정식은 $x=0$이므로 $x>0$일 때 x의 값이 증가하면 y의 값은 감소한다.

8 원점을 꼭짓점으로 하는 이차함수의 그래프의 식은 $y=ax^2$이고 점 $(2, -3)$을 지나므로 대입하면
$-3=4a$ $\therefore a=-\dfrac{3}{4}$
$\therefore y=-\dfrac{3}{4}x^2$

p. 102~105

시험에 꼭 나오는 문제

01 ②	02 ②	03 ①	04 ②	05 ④
06 ②	07 ②	08 ④	09 ③, ④	10 ⑤
11 ②	12 ⑤	13 ①	14 -12	15 ①
16 15				

1 함수 $y=f(x)$에서 $f(x)$가 x에 대한 이차식
$y=ax^2+bx+c$(단, a, b, c는 상수, $a\neq0$)로 나타내어질 때, y를 x에 관한 이차함수라 한다.
② $y=x^2-3x-(x-1)^2$을 정리하면 $y=-x-1$이 되어 일차함수가 된다.

2 $y=4x^2+1-ax^2-x$
$=(4-a)x^2-x+1$
이때 이차함수가 되려면 $4-a\neq0$이므로 $a\neq4$

3 $11=2a^2-a+1$에서 $2a^2-a-10=0$
$(2a-5)(a+2)=0$
따라서 a는 정수이므로 $a=-2$

4 각 점의 좌표를 이차함수에 대입하여 참이 되면, 그 점은 이차함수 위의 점이다.
② $(-1, 1)$: $1\neq-(-1)^2=-1$

5 ④ $y=x^2$의 그래프와 x축에 대하여 대칭이다.

6 그래프의 폭이 가장 넓은 것은 이차항의 계수의 절댓값이 가장 작은 것이다.
$\left|\dfrac{1}{2}\right|<|-1|<\left|\dfrac{3}{2}\right|<|-2|<|-7|$

7 아래로 볼록한 것은 이차함수의 계수가 양수인 $y=3x^2$,
$y=\dfrac{1}{2}x^2$, $y=\dfrac{2}{3}x^2$이고, 이 중에서 폭이 가장 좁은 것은 x^2의
계수의 절댓값이 가장 큰 $y=3x^2$이다.

8 (나)의 그래프가 위로 볼록하므로 이차함수의 계수는 음수이고 폭이 이차함수 $y=x^2$의 그래프보다 넓으므로 이차항의 계수의 절댓값이 1보다 작다.

9 이차함수 $y=ax^2$의 그래프가 $y=-2x^2$과 $y=-\dfrac{3}{4}x^2$의
그래프 사이에 있으려면 $-2<a<-\dfrac{3}{4}$이어야 한다.

10 ① ㄱ, ㄷ, ㄹ
⑤ 모두 y축에 대하여 대칭이다.

11 $y=-3x^2$이 점 $(1, a)$를 지나므로
$a=-3\times1^2=-3$
$y=-3x^2$과 x축에 대하여 대칭인 포물선은
$y=3x^2$이므로 $b=3$
$\therefore b-a=3-(-3)=6$

12 ① 점 $(-2, -2)$를 지난다.
② 축의 방정식은 $x=0$이다.
③ 위로 볼록한 포물선이다.
④ 어떤 x의 값에 대하여도 $y\leq0$이다.

13 $y=ax^2$에 점 $(2, 8)$을 대입하면 $a=2$이므로
$y=2x^2$
$y=2x^2$에 점 $(-3, k)$를 대입하면 $k=18$

14 $y=ax^2$의 그래프가 점 $(-3, -3)$을 지나므로
$-3=a\cdot(-3)^2$ $\therefore a=-\dfrac{1}{3}$
따라서 $f(x)=-\dfrac{1}{3}x^2$이므로

$$f(6)=-\frac{1}{3}\cdot36=-12$$

15 이차함수 $y=-\frac{3}{2}x^2$의 그래프가 점 $(-6,\,a)$, $(4,\,b)$를

지나므로 각각 대입하면

$$a=-\frac{3}{2}\times(-6)^2=-54$$

$$b=-\frac{3}{2}\times4^2=-24$$

$$\therefore a-b=(-54)-(-24)=-30$$

16 이차함수 $y=\frac{1}{4}x^2$에

$x=-2$를 대입하면 $y=\frac{1}{4}\times(-2)^2=1$

$x=4$를 대입하면 $y=\frac{1}{4}\times4^2=4$

따라서 $A(-2,\,1)$, $B(4,\,4)$이므로 $\square\,ABDC$의 넓이는

$$\frac{1}{2}\times(1+4)\times(2+4)=15$$

12 이차함수 $y=a(x-p)^2+q$의 그래프

p. 106~113

기본 체크
p. 106

01 (1) $(0,\,1)$, $x=0$　　(2) $(-5,\,0)$, $x=-5$
02 (1) $y=(x-2)^2+3$　(2) $y=-2(x+1)^2+2$

대표 예제
p. 106~107

1 주어진 식에 점 $(2,\,4)$를 대입하면 $c=\boxed{2}$이므로

$$y=\frac{1}{2}x^2+\boxed{2}$$

따라서 꼭짓점의 좌표는 $\boxed{(0,\,2)}$이다.

2 이차함수 $y=-2x^2$의 그래프를 x축의 방향으로 p만큼 평행이
동한 그래프의 식은

$y=\boxed{-2(x-p)^2}$, 즉 $y=\boxed{-2x^2+4px-2p^2}$

이 식이 $y=-2x^2-12x-18$과 같으므로

$\boxed{4p}=-12$에서 $p=\boxed{-3}$

3 $y=-5(x+2)^2$의 그래프는 축의 방정식이 $x=\boxed{-2}$이고 위
로 볼록한 포물선이므로 $\boxed{x<-2}$일 때, x의 값이 증가하면 y의
값도 증가한다.

4 이차함수 $y=3x^2$의 그래프를 x축의 방향으로 2만큼, y축의 방
향으로 -4만큼 평행이동한 이차함수의 식은

$y=\boxed{3(x-2)^2-4}$, 즉 $y=\boxed{3x^2-12x+8}$

이 식이 $y=3x^2+ax+b$와 같으므로 $a=\boxed{-12}$, $b=\boxed{8}$

$$\therefore a+b=\boxed{-4}$$

5 (1) x축에 대하여 대칭이동하려면, y대신 $\boxed{-y}$를 대입한다.

그러므로 $y=-4(x+\boxed{-3})^2+\boxed{-1}$이 된다.

(2) y축에 대하여 대칭이동하려면, x대신 $\boxed{-x}$를 대입한다.

그러므로 $y=4(x+\boxed{3})^2+\boxed{1}$이 된다.

어떤 교과서에나 나오는 문제
p. 108~109

| 01 ③ | 02 -32 | 03 ②, ⑤ | 04 -25 | 05 ⑤ |
| 06 4 | 07 -22 | 08 ② | | |

1 이차함수 $y=-2x^2$의 그래프를 y축의 방향으로 4만큼 평행이
동하면 $y=-2x^2+4$이고 점 $(-2,\,a)$를 지나므로 대입하면
$$a=-2\times(-2)^2+4=-8+4=-4$$

2 이차함수 $y=4x^2+q$의 그래프가 점 $(3,\,4)$를 지나므로
$$4=4\times3^2+q,\ 4=36+q$$
$$\therefore q=-32$$

3 ① 꼭짓점의 좌표는 $(0,\,6)$이다.
③ 점 $(-1,\,3)$를 지난다.
④ 축의 방정식은 $x=0$이다.

4 이차함수 $y=-x^2$의 그래프를 x축의 방향으로 -4만큼 평행이
동하면 $y=-(x+4)^2$
점 $(1,\,a)$를 지나므로 대입하면
$$a=-(1+4)^2=-25$$

5 ⑤ 이차함수 $y=-\frac{1}{3}x^2$의 그래프를 x축의 방향으로 -1만큼

평행이동한 그래프이다.

6 $y=2(x-p)^2$의 그래프가 점 $(2,\,8)$을 지나므로 대입하면
$$8=2(2-p)^2,\ (p-2)^2=4$$
$$p-2=\pm2,\ p=2\pm2$$
$$\therefore p=4\ \text{또는}\ p=0$$
이때 $p>0$이므로 $p=4$

7 이차함수 $y=-2x^2$의 그래프를 x축의 방향으로 2만큼, y축의
방향으로 -4만큼 평행이동하면 $y=-2(x-2)^2-4$
점 $(-1,\,a)$를 지나므로 대입하면
$$a=-2\times(-1-2)^2-4=-22$$

8 ② 꼭짓점의 좌표는 $(-4,\,-7)$이다.

시험에 꼭 나오는 문제
p. 110~113

01 ④	02 ②	03 ④	04 ②	05 ⑤
06 -1	07 ②	08 ④	09 ①	10 ⑤
11 ③	12 ①	13 ④	14 ②	15 -1
16 ②				

1 ④ 꼭짓점의 좌표는 $(0,\,1)$이다.

2 ② $y=2x^2-1$의 그래프를 y축의 방향으로 -4만큼 평행이동하면 $y=2x^2-5$의 그래프와 포갤 수 있다.

3 $y=-3x^2+q$에 $(2,-6)$을 대입하면 $q=6$
따라서 $y=-3x^2+6$의 꼭짓점의 좌표는 $(0,6)$

4 ② 꼭짓점의 좌표는 $(3,0)$이다.

5 이차함수 $y=ax^2$의 그래프를 x축의 방향으로 3만큼 평행이동한 식은 $y=a(x-3)^2$
그래프가 점 $(1,-2)$를 지나므로 대입하면
$-2=4a$ $\therefore a=-\dfrac{1}{2}$

6 꼭짓점의 좌표는 $(-2,0)$이므로 이차함수 $y=a(x+2)^2$의 그래프이다.
$\therefore p=-2$
$y=a(x+2)^2$의 그래프가 점 $(0,4)$를 지나므로 대입하면
$4=4a$ $\therefore a=1$
$\therefore a+p=1+(-2)=-1$

7 $y=-5(x+2)^2$의 그래프는 축의 방정식이 $x=-2$이고 위로 볼록한 포물선이므로 $x<-2$일 때, x의 값이 증가하면 y의 값도 증가한다.

8 ① 꼭짓점의 좌표가 원점 $(0,0)$이므로 x축과 만난다.
② 꼭짓점의 좌표가 $(0,2)$이고 위로 볼록한 그래프이므로 x축과 만난다.
③ 꼭짓점의 좌표가 $(-1,0)$이므로 x축과 만난다.
④ 꼭짓점의 좌표가 $(-1,3)$이고 아래로 볼록한 그래프이므로 x축과 만나지 않는다.
⑤ 꼭짓점의 좌표가 $(2,1)$이고 위로 볼록한 그래프이므로 x축과 만난다.

9 $y=-3(x-1)^2-1$의 그래프는 오른쪽 그림과 같으므로 제1, 2사분면을 지나지 않는다.

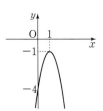

10 이차함수 그래프의 축의 방정식을 구해 보면
① $x=0$ ② $x=2$ ③ $x=0$
④ $x=-1$ ⑤ $x=-3$
따라서 축이 가장 왼쪽에 있는 것은
⑤ $y=(x+3)^2+2$의 직선 $x=-3$이다.

11 $y=-a(x-p)^2+3$의 그래프의 축의 방정식이 $x=-2$이면 $y=-a(x+2)^2+3$
점 $(0,5)$를 지나므로 $5=-4a+3$
$\therefore a=-\dfrac{1}{2}$

12 $y=-(x-2-p)^2+1+q$
$=-x^2$
$-2-p=0$, $1+q=0$
이므로 $p=-2$, $q=-1$
$\therefore p+q=-3$

13 $y=(x+1-5)^2+4-1=(x-4)^2+3$
따라서 꼭짓점의 좌표는 $(4,3)$이다.

14 일차함수 $y=ax+b$의 그래프에서 $a<0$, $b>0$
이차함수 $y=ax^2+b$의 그래프에서 $a<0$이면 위로 볼록하고, 꼭짓점의 좌표가 $(0,b)$이고 $b>0$이므로 구하는 그래프는 ②이다.

15 이차함수 $y=a(x+p)^2+5$의 그래프는 직선 $x=-1$을 축으로 하므로 $p=1$
$y=a(x+1)^2+5$의 그래프가 점 $(-4,-13)$을 지나므로 대입하면
$-13=9a+5$ $\therefore a=-2$
$\therefore a+p=-2+1=-1$

16 제1, 2, 4사분면을 지나야 하므로 그래프는 다음 그림과 같다. 그래프가 아래로 볼록하므로 $a>0$이고, 꼭짓점 (p,q)가 제4사분면에 있으므로
$p>0$, $q<0$
$\therefore a>0$, $p>0$, $q<0$

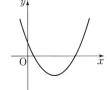

13 이차함수 $y=ax^2+bx+c$의 그래프
p. 114~121

기본 체크
p. 114

01 9, 9, 3, 5, -3, -5

대표 예제
p. 114~115

1 이차함수 $y=-x^2+4x-3$을 $y=a(x-p)^2+q$의 꼴로 바꾸면
$y=-x^2+4x-3$
$=-(x^2-4x)-3$
$=-(x^2-4x+4)+\boxed{4}-3$
$=-(x-2)^2+\boxed{1}$
따라서 이차함수 $y=-x^2+4x-3$의 그래프는 직선 $x=\boxed{2}$를 축으로 하고 점 $\boxed{(2,1)}$을 꼭짓점으로 하는 $\boxed{위}$로 볼

록한 포물선이다.

2 $y=x^2$의 그래프를 평행이동하여 생긴 새로운 포물선은 꼭짓점이 $(2, 1)$이므로 이를 $y=a(x-p)^2+q$의 꼴의 식으로 나타내면
$$y=\boxed{(x-2)^2+1}$$
이 식을 $y=ax^2+bx+c$의 꼴로 나타내면
$$y=\boxed{x^2-4x+5}$$

3 꼭짓점의 좌표가 $(2, 3)$이므로 이차함수의 식을
$y=a(x-\boxed{2})^2+\boxed{3}$으로 나타낼 수 있다.
이 그래프가 점 $(0, 1)$을 지나므로
$1=a(0-\boxed{2})^2+\boxed{3}$, 즉 $a=\boxed{-\dfrac{1}{2}}$
따라서 구하는 이차함수의 식은
$$y=-\dfrac{1}{2}(x-\boxed{2})^2+\boxed{3}$$
$$=-\dfrac{1}{2}(x^2-\boxed{4}x+\boxed{4})+\boxed{3}$$
$$=\boxed{-\dfrac{1}{2}x^2+2x+1}$$

어떤 교과서에나 나오는 문제   p. 116~117

01 ⑤	02 ①	03 ①	04 ④	05 9
06 ④	07 $p=-2$, $q=1$		08 $b=6$, $c=3$	

1 $y=2x^2-4x+5$
$=2(x^2-2x)+5$
$=2(x-1)^2+3$
$\therefore a=2$, $p=1$, $q=3$
$\therefore a+p+q=6$

2 $y=x^2+10x+17$
$=(x+5)^2-8$
이므로 꼭짓점의 좌표는 $(-5, -8)$

3 $y=2x^2-x+c$의 그래프가 점 $(1, -6)$을 지나므로 대입하면
$-6=2-1+c$ $\therefore c=-7$
따라서 $y=2x^2-x-7$에서 y절편은 -7이다.

4 ① $y=x^2-1$의 축은 $x=0$
② $y=-(x+2)^2$의 축은 $x=-2$
③ $y=4(x-1)^2+1$의 축은 $x=1$
④ $y=x^2-6x+9=(x-3)^2$의 축은 $x=3$
⑤ $y=-2x^2-4x=-2(x+1)^2+2$의 축은 $x=-1$

5 이차함수 $y=x^2-6x+a$의 꼭짓점이 x축 위에 있으므로
$y=(x-p)^2$, 즉 $y=x^2-2px+p^2$이어야 하므로
$-2p=-6$ $\therefore p=3$
$\because a=3^2=9$
[다른 풀이]
$y=x^2-6x+a$

$=(x-3)^2-9+a$
꼭짓점의 좌표가 x축 위에 있으므로
$-9+a=0$ $\therefore a=9$

6 $y=-\dfrac{1}{3}x^2+2x-1$
$=-\dfrac{1}{3}(x^2-6x)-1$
$=-\dfrac{1}{3}(x-3)^2+2$
이므로 x의 값이 증가할 때, y의 값도 증가하는 x의 값의 범위는 $x<3$이다.

7 $y=2x^2+8x+9=2(x^2+4x)+9$
$=2(x+2)^2+1$
이므로 꼭짓점의 좌표는 $(-2, 1)$이다.
이는 $y=2x^2$의 그래프를 x축의 방향으로 -2만큼, y축의 방향으로 1만큼 평행이동한 것이므로
$p=-2$, $q=1$

8 $x=1$을 축으로 하므로 $y=-3(x-1)^2+q$
점 $(0, 3)$을 지나므로 대입하면 $3=-3+q$
$\therefore q=6$
따라서 $y=-3(x-1)^2+6=-3x^2+6x+3$이므로
$b=6$, $c=3$

시험에 꼭 나오는 문제   p. 118~121

01 ⑤	02 ⑤	03 ①	04 $(-1, -7)$	
05 ④, ⑤	06 ①	07 ④	08 ③	09 ②
10 ④	11 ③	12 ⑤	13 ①	14 ③
15 ⑤	16 ③			

1 ① $y=x^2-2x+3=(x-1)^2+2$
꼭짓점의 좌표는 $(1, 2)$, 제1사분면
② $y=2x^2+8x=2(x+2)^2-8$
꼭짓점의 좌표는 $(-2, -8)$, 제3사분면
③ $y=x^2+6x-1=(x+3)^2-10$
꼭짓점의 좌표는 $(-3, -10)$, 제3사분면
④ $y=-2x^2+4x+1=-2(x-1)^2+3$
꼭짓점의 좌표는 $(1, 3)$, 제1사분면
⑤ $y=-3x^2+12x-13=-3(x-2)^2-1$
꼭짓점의 좌표는 $(2, -1)$, 제4사분면

2 $y=2x^2+kx-4$의 축의 방정식이 $x=-3$이므로
$y=2(x+3)^2+q$, 즉 $y=2x^2+12x+18+q$
$\therefore k=12$

3 이차함수 $y=x^2+ax+b$의 그래프의 꼭짓점의 좌표가
$(1, -2)$이므로
$y=(x-1)^2-2=x^2-2x-1$
따라서 $a=-2$, $b=-1$이므로

$a+b=(-2)+(-1)=-3$

[다른 풀이]

그래프에 꼭짓점의 좌표 $(1, -2)$를 대입하면,

$-2=1+a+b$

$a+b=-3$

4 이차함수 $y=x^2+ax-6$의 그래프가 점 $(1, -3)$을 지나므로 대입하면

$-3=1+a-6$ $\therefore a=2$

따라서 $y=x^2+2x-6=(x+1)^2-7$이므로 꼭짓점의 좌표는 $(-1, -7)$

5 $y=-3x^2+6x+9=-3(x-1)^2+12$

① 꼭짓점의 좌표는 $(1, 12)$이다.

② 직선 $x=1$을 축으로 한다.

③ y축과 만나는 점의 y좌표는 9이다.

6 $y=\dfrac{1}{2}x^2+5x-\dfrac{1}{2}=\dfrac{1}{2}(x+5)^2-13$

에서 꼭짓점의 좌표는 $(-5, -13)$이다.

$y=x^2-2mx-8$의 그래프가 점 $(-5, -13)$을 지나므로 대입하면

$-13=25+10m-8$

$\therefore m=-3$

7 $y=-2x^2+4x+6$의 그래프가 x축과 만나는 두 점을 구하기 위해 $y=0$을 대입하면

$0=-2x^2+4x+6$, $-2(x+1)(x-3)=0$

$\therefore x=-1$ 또는 $x=3$

이때 $p>q$이므로 $p=3$, $q=-1$

$\therefore p-q=3-(-1)=4$

8 $y=2x^2-4x+1=2(x-1)^2-1$의 꼭짓점의 좌표는 $(1, -1)$이고 아래로 볼록한 포물선이고 y축과 만나는 점의 y좌표는 1이다.

따라서 그래프는 오른쪽 그림과 같으므로 지나지 않는 사분면은 제3사분면이다.

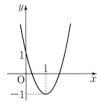

9 $y=-x^2-2ax+1=-(x+a)^2+a^2+1$

에서 축의 방정식이 $x=-a$이므로

$-a=1$ $\therefore a=-1$

이 그래프의 꼭짓점의 y좌표는

$a^2+1=(-1)^2+1=2$

[다른 풀이]

축의 방정식 $x=1$이므로 $y=-(x-1)^2+q$

전개하면,

$y=-x^2+2x-1+q$

$=-x^2-2ax+1$

이므로

$2=-2a$, $a=-1$

$-1+q=1$, $q=2$

그러므로 꼭짓점의 좌표는 $(1, 2)$

10 이차함수 $y=2x^2-5x+k$의 그래프가 x축과 만나는 점의 x좌표가 2이므로 $(2, 0)$을 대입하면

$0=8-10+k$ $\therefore k=2$

따라서 $y=2x^2-5x+2$의 그래프가 y축과 만나는 점의 y좌표는 2이다.

11 $y=x^2-ax+1=\left(x-\dfrac{a}{2}\right)^2-\dfrac{a^2}{4}+1$

에서 꼭짓점의 좌표는 $\left(\dfrac{a}{2}, -\dfrac{a^2}{4}+1\right)$

$y=\dfrac{1}{2}x^2-3x+b=\dfrac{1}{2}(x-3)^2-\dfrac{9}{2}+b$

에서 꼭짓점의 좌표는 $\left(3, -\dfrac{9}{2}+b\right)$

두 그래프의 꼭짓점이 일치하므로

$\dfrac{a}{2}=3$ $\therefore a=6$

$-\dfrac{a^2}{4}+1=-\dfrac{9}{2}+b$, $-8=-\dfrac{9}{2}+b$

$\therefore b=-\dfrac{7}{2}$

$\therefore ab=6\times\left(-\dfrac{7}{2}\right)=-21$

12 $y=-x^2+4x+p=-(x-2)^2+4+p$

에서 그래프의 꼭짓점의 좌표는 $(2, 4+p)$

이 점은 직선 $2x+3y-1=0$ 위에 있으므로 대입하면

$4+3(4+p)-1=0$, $15+3p=0$

$\therefore p=-5$

13 이차함수 $y=-2x^2+4x+1=-2(x-1)^2+3$의 그래프를 x축의 방향으로 -1만큼 평행이동하면

$y=-2(x-1+1)^2+3=-2x^2+3$

이 그래프가 점 $(-1, k)$를 지나므로 대입하면

$k=-2+3=1$

14 ③ $y=x^2-2x-4=(x-1)^2-5$의 꼭짓점의 좌표가 $(1, -5)$로 제4사분면에 위치하고 아래로 볼록한 포물선이며 y축과 만나는 점의 y좌표가 음수이므로 모든 사분면을 지난다.

① 꼭짓점의 좌표 : $(0, -1)$, 제3, 4사분면을 지난다.

② 꼭짓점의 좌표 : $(-1, 1)$, 제2, 3, 4사분면을 지난다.

④ 꼭짓점의 좌표 : $\left(\dfrac{3}{2}, \dfrac{7}{2}\right)$, 제1, 3, 4사분면을 지난다.

⑤ 꼭짓점의 좌표 : $(1, 3)$, 제1, 3, 4사분면을 지난다.

15 그림의 포물선은 아래로 볼록하고 꼭짓점의 좌표가 제3사분면에 위치해 있으며 y축과 만나는 점의 y좌표가 음수이다.

① $y=-x^2-4x=-(x+2)^2+4$

② $y=x^2+8x+16=(x+4)^2$

③ $y=2x^2-4x-1=2(x-1)^2-3$

④ $y=-3x^2+6x+5=-3(x-1)^2+8$

⑤ $y=4x^2+8x-5=4(x+1)^2-9$

따라서 주어진 포물선을 그래프로 가지는 것은

⑤ $y=4x^2+8x-5$이다.

[다른 풀이]

$y=ax^2+bx+c$의 그래프에서

(ⅰ) 그림의 그래프가 아래로 볼록한 그래프이므로 $a>0$,

(ⅱ) 그래프의 축이 y축보다 왼쪽에 있으므로 a의 부호와 b의 부호는 같다. $(b>0)$

(ⅲ) y절편이 음수이므로 $c<0$

이 조건을 모두 만족하는 것은 ⑤ $y=4x^2+8x-5$이다.

16 $y=ax^2+bx+c$의 그래프에서

위로 볼록한 포물선이므로 $a<0$

축이 오른쪽에 위치해 있으므로 $-\dfrac{b}{2a}>0$에서 $b>0$

y축과 만나는 점의 y좌표가 양수이므로 $c>0$

단원종합문제 p. 122~124

01 ②	02 ④	03 ②	04 ③	05 ⑤
06 ④	07 ③	08 ④	09 ⑤	10 ①
11 ②	12 4	13 ④	14 ⑤	15 2
16 10	17 $y=2(x+5)^2-3$		18 5	
19 $\left(-1,\ \dfrac{9}{2}\right)$			20 7	

01 ② $y=x^2-(x+2)^2=-4x-4$

02 이차함수 $y=-\dfrac{1}{2}x^2$의 그래프는 위로 볼록하고

$y=-x^2$의 그래프보다 폭이 넓다.

03 이차함수 $y=ax^2+q$의 그래프의 꼭짓점의 좌표가 $(0,\ -3)$이므로 $q=-3$

$y=ax^2-3$의 그래프가 점 $(3,\ 12)$를 지나므로 대입하면

$12=9a-3$ ∴ $a=\dfrac{5}{3}$

∴ $3a+q=5+(-3)=2$

04 축의 방정식은 각각 다음과 같다.

① $x=0$

② $x=-1$

③ $x=-4$

④ $y=\left(x-\dfrac{1}{2}\right)^2-\dfrac{5}{4}$이므로 $x=\dfrac{1}{2}$

⑤ $y=\dfrac{1}{5}\left(x+\dfrac{5}{2}\right)^2+\dfrac{3}{4}$이므로 $x=-\dfrac{5}{2}$

05 ⑤ $x<3$일 때, x의 값이 증가하면 y의 값은 증가한다.

06 ① 아래로 볼록하고 꼭짓점의 좌표는 $(0,\ -5)$

② 위로 볼록하고 꼭짓점의 좌표는 $(-4,\ 0)$

③ 아래로 볼록하고 꼭짓점의 좌표는 $(2,\ -6)$

④ 위로 볼록하고 꼭짓점의 좌표는 $(-7,\ -1)$

⑤ 위로 볼록하고 꼭짓점의 좌표는 $(-2,\ 4)$

07 이차함수 $y=-\dfrac{1}{2}x^2$의 그래프를 x축의 방향으로 1만큼,

y축의 방향으로 q만큼 평행이동하면

$y=-\dfrac{1}{2}(x-1)^2+q$

이 이차함수의 그래프가 점 $(3,\ -6)$을 지나므로

$-6=-\dfrac{1}{2}(3-1)^2+q$

$-6=-2+q$ ∴ $q=-4$

08 $y=-x^2+2x+3=-(x-1)^2+4$

∴ P$(1,\ 4)$

$-x^2+2x+3=0$, $(x+1)(x-3)=0$

∴ A$(-1,\ 0)$, B$(3,\ 0)$

∴ $\triangle$PAB$=\dfrac{1}{2}\times4\times4=8$

09 $y=-x^2+6x-9=-(x-3)^2$

① $y=-x^2$의 그래프를 평행이동한 그래프이다.

② 꼭짓점의 좌표는 $(3,\ 0)$이다.

③ y축과 $(0,\ -9)$에서 만난다.

④ 제3,4사분면을 지난다.

10 $y=-x^2+2mx=-(x^2-2mx)$

$\quad=-(x-m)^2+m^2$

$(m,\ 9)=(m,\ m^2)$이므로

$m^2=9$이다.

∴ $m=-3\ (\because m<0)$

11 이차함수 $y=-3x^2+6ax-b$는 꼭짓점 $(1,\ 5)$를 지나므로

$y=-3(x-1)^2+5=-3x^2+6x+2$

이 식과 $y=-3x^2+6ax-b$가 같으므로

$6a=6$에서 $a=1$, $b=-2$

∴ $ab=-2$

12 원점이 꼭짓점이므로 $y=ax^2$의 꼴의 이차함수이다.

이 그래프에 $(3,\ 1)$을 대입하면

$1=9a$이므로 $a=\dfrac{1}{9}$, 즉 $y=\dfrac{1}{9}x^2$의 그래프이다.

$(-6,\ m)$을 대입하면 $m=4$

13 이차함수 $y=ax^2+bx+c$의 그래프에서

아래로 볼록하므로 $a>0$

축이 y축의 왼쪽에 있으므로 a의 부호와 같다. 즉 $b>0$

y축과 만나는 점의 y좌표가 음수이므로 $c<0$

④ $bc<0$

14 $y=3x^2-12x+4=3(x^2-4x)+4$

$\quad=3(x-2)^2-8$이므로 $p=2$, $q=-8$이다.

$\therefore 2p-q=4-(-8)=12$

15 x^2의 계수가 $-\dfrac{1}{2}$이고 꼭짓점의 좌표가 $\left(-1, \dfrac{5}{2}\right)$인 이차함

수의 식은

$y=-\dfrac{1}{2}(x+1)^2+\dfrac{5}{2}=-\dfrac{1}{2}x^2-x+2$

$\therefore k=2$

16 두 이차함수 $y=x^2+m$과 $y=-\dfrac{1}{4}x^2+n$의 그래프가

점 D$(2, 0)$을 지나므로 각각 대입하면

$0=4+m$에서 $m=-4$

$0=-1+n$에서 $n=1$

두 이차함수는 $y=x^2-4$과 $y=-\dfrac{1}{4}x^2+1$이므로

A$(0, 1)$, B$(-2, 0)$, C$(0, -4)$이다.

따라서 구하는 □ABCD의 넓이는

$\dfrac{1}{2}\times\overline{\text{AC}}\times\overline{\text{BD}}=\dfrac{1}{2}\times5\times4=10$

17 $y=2(x-2)^2-3$

$\rightarrow y=2(x-2-3)^2-3$

$\rightarrow y=2(x-5)^2-3$

이것을 y축에 대하여 대칭이동 하려면 x대신 $-x$를 대입해야

하므로 $y=2(x+5)^2-3$이 된다.

18 $y=x^2-2x+k=(x-1)^2+k-1$

에서 그래프의 꼭짓점의 좌표는 $(1, k-1)$

이 점이 직선 $y=x+3$ 위에 있으므로 대입하면

$k-1=1+3$ $\therefore k=5$

19 이차함수 $y=ax^2-x+b$의 그래프가 점 $(0, 4)$를 지나므로

$b=4$

$y=ax^2-x+4$에 $(-4, 0)$을 대입하면

$0=16a+4+4$ $\therefore a=-\dfrac{1}{2}$

$\therefore y=-\dfrac{1}{2}x^2-x+4=-\dfrac{1}{2}(x+1)^2+\dfrac{9}{2}$

따라서 이차함수의 꼭짓점의 좌표는 $\left(-1, \dfrac{9}{2}\right)$이다.

20 $y=3(x-3)^2-16$

$\rightarrow y=3(x-p-3)^2-16+q$

$=3(x+2)^2-4$

$\therefore -p-3=2, p=-5$

$-16+q=-4, q=12$

따라서 $p+q=7$

교과서
노트

중학 수학 **3**(상)

07 다항식의 인수분해(2)

번호	o/x
1	
2	
3	
4	
5	
6	
7	
8	
1	
2	
3	
4	
5	
6	
7	
8	
9	
10	
11	
12	
13	
14	
15	
16	

어떤 교과서에나 나오는 문제 / 시험에 꼭 나오는 문제

08 이차방정식의 풀이(1)

번호	o/x
1	
2	
3	
4	
5	
6	
7	
8	
1	
2	
3	
4	
5	
6	
7	
8	
9	
10	
11	
12	
13	

어떤 교과서에나 나오는 문제 / 시험에 꼭 나오는

번호	o/x
14	
15	
16	

문제

09 이차방정식의 풀이(2)

번호	o/x
1	
2	
3	
4	
5	
6	
7	
8	
1	
2	
3	
4	
5	
6	
7	
8	
9	
10	
11	
12	
13	
14	
15	
16	

어떤 교과서에나 나오는 문제 / 시험에 꼭 나오는 문제

10 이차방정식의 활용

번호	o/x
1	
2	
3	
4	
5	
6	
7	
8	
1	
2	
3	
4	
5	
6	

어떤 교과서에나 나오는 문제 / 시험에 꼭

번호	o/x
7	
8	
9	
10	
11	
12	
13	
14	
15	
16	

나오는 문제

11 이차함수와 $y=ax^2$의 그래프

번호	o/x
1	
2	
3	
4	
5	
6	
7	
8	
1	
2	
3	
4	
5	
6	
7	
8	
9	
10	
11	
12	
13	
14	
15	
16	

어떤 교과서에나 나오는 문제 / 시험에 꼭 나오는 문제

12 이차함수와 $y=a(x-p)^2+q$의 그래프

번호	o/x
1	
2	
3	
4	

어떤 교과서에나

번호	o/x
5	
6	
7	
8	
1	
2	
3	
4	
5	
6	
7	
8	
9	
10	
11	
12	
13	
14	
15	
16	

나오는 문제 / 시험에 꼭 나오는 문제

13 이차함수와 $y=ax^2+bx+c$ 의 그래프

번호	o/x
1	
2	
3	
4	
5	
6	
7	
8	
1	
2	
3	
4	
5	
6	
7	
8	
9	
10	
11	
12	
13	
14	
15	
16	

어떤 교과서에나 나오는 문제 / 시험에 꼭 나오는 문제